Faut-il brûler les banquiers ?

« Idées fausses, vraies réponses »
Collection dirigée par Mathieu Laine

« La France est foutue ? », Mathieu Laine, 2007.
« C'est trop tard pour la Terre ? », Cécile Philippe, 2007.
« Les fonds d'investissement sont-ils des prédateurs ? », Arnaud Bouyer, 2007.
« La mondialisation va-t-elle nous tuer ? », Agnès Verdier-Molinié, 2008.
« L'Amérique est-elle une menace pour le monde ? », Armand Lafférère, 2008.
« La crise de l'énergie est-elle une chance pour l'avenir ? », Charles Beigbeder, 2008.
« Faut-il vraiment durcir la justice ? », Aurélien Hamelle, 2009.

À paraître :
« La Famine menace-t-elle l'humanité ? », Jean-Philippe Feldman, 2010.

www.editions-jclattes.fr

À Chloé, quatre ans, ma petite-fille, pour qu'elle ne croie pas trop longtemps qu'un banquier est le monsieur qui est derrière le distributeur pour donner les billets.

Sommaire

Introduction 13

1. **« Les banques font de l'argent sur notre dos et ne servent à rien »** 19
   « Un monde sans argent serait tellement mieux » 19
   « Il suffirait à l'État d'imprimer plus de monnaie pour pouvoir augmenter le pouvoir d'achat de chacun » 25
   « La banque est une création moderne du capitalisme » 30
   « La banque s'est transformée dans les années 2000 » 38
   « La banque ne sert à rien » 41
   « La banque se borne à garder votre argent sur un compte » 45
   « La banque ne crée pas d'emplois » 48

2. **« Les banques sont coupables de la crise »** . 51
   « Les banques n'ont pas réagi assez tôt » ... 51
   « Les banques sont les seules responsables » . 62
   Pour aller plus loin – spécificité des modèles bancaires nationaux et impact de la crise . 74

3. « Les banques ont profité de la crise et ont été sauvées avec notre argent » 83

« Le plan de sauvetage a donné 320 milliards d'euros aux banques » 83

« Le plan de relance de l'économie, le sauvetage des banques – tout cela ne sert à rien. C'est de la poudre aux yeux. » 90

4. « Les marchés financiers ne fonctionnent pas » 95

« Les marchés financiers sont des marchés comme les autres » 96

« C'est parce qu'il n'y avait pas assez de normes comptables qu'il y a eu la crise ; il suffit d'en rajouter » 101

« Les marchés financiers n'indiquent pas le juste prix économique » 105

« Les marchés peuvent devenir fous à tout moment » 112

Pour aller plus loin – la liquidité, facteur clé du fonctionnement des marchés 120

5. « Une bonne politique monétaire peut en finir avec la crise » 127

« Les politiques monétaires ont un effet immédiat et certain sur l'économie » ... 127

« Les banques répercutent mécaniquement toutes les décisions de politique monétaire » 138

6. « Rien n'est fait pour tirer les leçons de la crise au niveau des marchés financiers » . 151

« Le système financier avant la crise ne connaissait aucune régulation » 155
« Pour régler la crise, il suffit d'imposer plus de règles » 164
« Les réformes en cours ne résolvent rien » . 172

Réponse à... ceux qui condamnent les traders et leurs bonus 177
« Les bonus atteignent des montants scandaleux sans qu'aucune règle ne vienne les encadrer » 179
« Même avec le code éthique, les bonus restent hors de proportion » 182
« Les banques n'ont pas respecté leur engagement de février concernant un code éthique » 185
« Il faut vite légiférer sur les bonus des traders pour les interdire » 186

7. « Les banques doivent complètement changer de modèle » 191
« Les clients ont totalement perdu confiance en leur banque » 193
Pour aller plus loin – La fin de l'âge d'or des banques de détail : vers une révolution comportementale des banquiers ? 201
« Finalement, dans la banque, rien n'aura changé » 205
Pour aller plus loin – Un nouveau modèle économique pour les banques de détail 211
Pour aller plus loin – L'adaptation du modèle économique de la gestion d'actifs . 223

« Le modèle de la banque universelle reste le moins risqué et le plus solide » 231
Pour aller plus loin : la recherche de la combinaison optimale des activités bancaires 235

Conclusion 241

Petit lexique 243

Pour aller plus loin 249

Introduction

Dans une France où la plupart des tabous semblent levés, celui de l'argent demeure plus fort que jamais. L'ouvrage de Jacques Marseille *L'argent des Français*, qui lutte contre plusieurs idées reçues concernant l'évolution des inégalités de revenus, montre bien combien ces questions sont encore délicates et polémiques. À la différence des Anglo-Saxons, totalement décomplexés sur ces sujets, l'argent est, dans notre société marquée par des siècles d'influence catholique, toujours un peu honteux, toujours un peu coupable. Celui qui en a est forcément suspect, et il sera d'autant plus apprécié qu'il n'en parlera jamais et le montrera le moins possible. Alors qu'un Français ne saura jamais *au juste* combien gagne son propre père, il apprendra d'un Américain rencontré une heure plus tôt, et sans avoir rien demandé, combien ce dernier gagne au dollar près. La vérité se situe, sans doute, entre ces deux extrémités culturelles.

Rien d'étonnant à ce que cette défiance spontanée à l'égard de l'argent, qui alimente craintes, frustrations et fantasmes, contamine le rapport des Français avec leurs banques. Prêter à intérêt était interdit aux chrétiens durant le Moyen Âge, et l'activité bancaire est longtemps restée *de facto* réservée aux juifs (puis aux protestants mais beaucoup, dans l'intervalle, avaient émigré), à qui la religion n'interdisait rien de tel. Il reste sans doute quelque chose de cet interdit traditionnel dans le fond de notre mentalité française.

La crise financière, qui a lourdement frappé nos économies et a vu plusieurs banques littéralement sombrer, a alimenté de très nombreuses idées reçues sur la banque : *« Les banques sont coupables ! »*, *« Les banquiers ont fait n'importe quoi avec notre argent ! »*, *« Les banques ont profité du système avant la crise et ont été sauvées avec nos impôts : on paye deux fois ! »*, *« Il faut nationaliser les banques ! »*, *« Personne ne tire les leçons de la crise ! »*, *« Les marchés financiers ne fonctionnent pas ! »*. Rarement ce métier, qui faisait déjà l'objet de critiques récurrentes, n'a été à ce point malaimé. Le monde de la finance en général et des banques en particulier est traditionnellement aussi méconnu du grand public que décrié. À la faveur des fortes turbulences économiques que nous traversons, cette méfiance traditionnelle s'est considérablement exacerbée ; des critiques – parfois très violentes – ont été formulées à l'encontre d'entreprises rendues responsables de difficultés économiques et sociales durement ressenties par tout un chacun.

Depuis le déclenchement de la crise financière en automne 2008, résonance de la crise des *subprimes* de 2006-2007, une année s'est écoulée. Le temps qui passe nous permet de mieux analyser les évènements. Les acteurs prennent du recul, situent mieux la portée des phénomènes et leurs éventuelles erreurs.

La relecture de la crise par un acteur engagé – qui plus est un banquier ! – pourra sembler à certains un plaidoyer orienté venant du camp des fautifs. Tellement fautifs qu'il faudrait les stigmatiser d'abord, les punir ensuite par tous moyens à disposition, si possible sans procès ni droit de la défense. L'opinion peut, on le sait, être prompte à exiger des têtes et à faire des procès en indignité.

Certaines de ces critiques sont fondées et des réformes profondes sont évidemment nécessaires. Toutefois, il ne faudrait pas que l'émotion légitime favorise des réactions excessives et disproportionnées, éloignées de la réalité et pouvant compromettre la reprise future.

Des fautes ont été commises par certains, entraînés dans une course-poursuite à la croissance du prix des actifs financiers. Ils sont responsables, il faut le dire. Mais on ne doit pas pour autant condamner une profession au motif que certains de leurs membres ont failli.

Oui, il y a un honneur des banquiers. Oui, l'immense majorité des hommes et des femmes qui travaillent dans la banque le font avec rigueur et honnêteté. Ceux-là n'occupent pas nécessairement le devant de la scène. Ne revendiquant aucun avantage particulier par rapport à leurs concitoyens, ils n'entendent pas non plus avoir moins de droit qu'eux à être traités avec respect et justice. Ils veulent assumer pleinement et publiquement leurs responsabilités ; ils n'acceptent pas d'être accusés et transformés en boucs émissaires, tout simplement parce que cela ne correspond pas à ce qui s'est réellement passé.

La réalité est, comme souvent, plus complexe que la légende. Pour tirer vraiment les leçons de la crise et en sortir durablement, il convient de dépasser les caricatures et les critiques gratuites, que chacun identifie et assume pleinement ses responsabilités, et que les mécanismes qui se sont enchaînés pour provoquer cet immense raté soient efficacement décryptés. Bien sûr, l'économie est une science trop complexe pour permettre des analyses faciles. Trop de variables entrent en jeu, trop de liens enchevêtrés entre les faits, trop d'instabilité pour permettre des diagnostics faciles et sûrs. Si ce n'était pas le cas, les économistes ne se tromperaient pas si souvent dans leurs prévisions ! L'interprétation, quoi qu'on dise, tient toujours une place très importante dans l'économie. Les spécialistes se déchirent encore pour déterminer les causes exactes de la crise de 1929 ! Il faut donc être modeste en cherchant à identifier, le plus objectivement possible et sans sombrer dans les grilles de lecture préconçues des idéologues, celles de la crise de 2008. Dans ces conditions, cet audacieux pari mérite vraiment d'être relevé.

Cet ouvrage veut dissiper des idées reçues en expliquant de façon simple et accessible à des lecteurs non spécialistes, non seulement les mécanismes de la crise actuelle, mais aussi le rôle réel et indispensable des institutions bancaires dans le financement de l'économie.

Au total, cette crise aura montré qu'il y a davantage de responsables que de coupables. Si les banquiers doivent évidemment assurer leurs responsabilités, qu'il ne faut pas hésiter à pointer du doigt, ils sont loin d'être les seuls. Gouvernements, régulateurs, superviseurs, banques centrales, agences de notation, voire certains trésoriers d'entreprises adeptes du « toujours plus » ; autant de parties prenantes à la crise dont le rôle doit être passé au crible de l'analyse sans plus d'aménité ni d'indulgence.

Nous découvrirons alors que certaines cibles privilégiées des critiques ne sont pas les plus impliquées. Même s'il est très souhaitable de voir les paradis fiscaux disparaître, parce que l'égalité devant l'impôt est un facteur de cohésion dans les sociétés modernes, l'objectivité oblige à dire qu'ils n'ont pas joué grand rôle. De même pour les *hedge funds*[1] ; ils ont peut-être accéléré voire accentué certains phénomènes, mais ils n'en ont pas été les initiateurs.

Un chef d'entreprise est responsable de tout ce qui se passe sous son autorité, même s'il n'a pas eu connaissance des faits qui lui sont ensuite reprochés. C'est ainsi. Les dirigeants de banque doivent de même assumer les erreurs.

Mais l'essentiel aujourd'hui n'est pas de jeter l'opprobre sur tel ou tel mais d'être capable de comprendre ce qui s'est passé et d'agir en conséquence. L'Histoire nous l'apprend : d'un mal peut sortir un bien, mais à la condition impérative d'en avoir arraché les racines.

1. Fonds d'investissement à vocation spéculative.

1.

« Les banques font de l'argent sur notre dos et ne servent à rien »

Le fait que l'on oublie : Aujourd'hui, le taux de bancarisation atteint 99 %, alors qu'en 1967 seuls 20 % des ménages possédaient un compte en banque. Le recours aux services bancaires a accompagné la croissance des Trente Glorieuses. Aujourd'hui, les banques sont des soutiens indispensables à la prospérité économique et au fonctionnement quotidien des échanges. En France, on comptait en 2007, 40 000 agences bancaires et plus de 51 000 distributeurs automatiques.

Qui songerait aujourd'hui à s'en passer ?

« Un monde sans argent serait tellement mieux »

On ne peut pas parler de la banque sans rappeler d'abord ce qu'est l'argent.

Nous l'utilisons tous les jours. Sous la forme de quelques pièces au fond de notre poche, d'une carte de crédit ou d'un chéquier, il prend de multiples formes, mais c'est toujours de l'« argent », ou plutôt, selon le terme exact, de la monnaie.

Certains se prennent parfois à rêver d'un monde où elle n'existerait pas, exempt de tout ce qui peut chagriner dans le monde moderne : les luttes d'intérêts, la cupidité, la malhonnêteté et, par extension, le crime en général. C'est une illusion et une confusion. La monnaie n'est qu'un outil au service des échanges entre les hommes. Elle n'est pas bonne ou mauvaise en soi ; elle peut être, suivant le choix de chacun, le support de ses vertus comme de ses vices.

Traditionnellement, les économistes considèrent que la monnaie répond à trois fonctions : unité de compte, intermédiaire d'échange et réserve de valeur. Essayons de comprendre la nature et l'utilité de chacune de ces fonctions.

Le premier rôle est celui d'unité de compte. On dit souvent qu'on ne doit pas additionner une chèvre et un chou. Mais peut-on les comparer ? S'il est facile de comparer des choses semblables (un œuf et un autre œuf par exemple), rien ne permet en revanche de comparer plusieurs objets différents. Comment dire si la chèvre équivaut à un ou cent choux ? La monnaie permet cette comparaison quantifiée. Chaque objet étant associé à un certain montant monétaire (sa valeur), il est possible de comparer strictement tous les biens entre eux. Grâce à la monnaie, nous pouvons donc dire exactement ce que vaut une baguette de pain par rapport à un avion, un repas au restaurant ou une coupe de cheveux.

Deuxième rôle, celui d'intermédiaire dans les échanges. Imaginez que la monnaie n'existe pas. Pour obtenir un bien possédé par quelqu'un d'autre (mettons, un poulet dont je souhaite faire mon repas), je dois donc pratiquer le troc, c'est-à-dire que je dois échanger ce bien contre un autre bien que je possède (mettons, un poisson). Mais il n'y a pas de raison pour que l'individu possédant le bien convoité accepte, lui, d'échanger sa poule contre mon poisson... Il voudra peut-être plutôt un morceau de viande. Il faudrait alors probablement que je trouve d'abord une autre personne acceptant d'échanger mon poisson contre de la viande, afin de pouvoir échanger cette viande contre la poule. Difficile de faire son marché ! Le troc demande ainsi une double coïncidence des intérêts : je dois être prêt à échanger un bien contre un autre ; et dans le même temps une autre personne doit justement non seulement posséder ce bien que je veux, mais aussi rechercher celui que je suis prêt à échanger ! On le comprend, le troc au quotidien n'est pas simple. C'est en partie pour cela que la monnaie a été inventée. Elle permet de se passer de la coïncidence des intérêts et joue ainsi le rôle d'intermédiaire d'échange : je vais pouvoir échanger le bien que je convoite contre cet intermédiaire reconnu par tous que l'on appelle « monnaie ». La personne acceptera cette « monnaie » comme contrepartie de l'objet qu'il donne car il sait qu'il pourra ensuite acquérir grâce à elle un autre bien.

Troisième rôle, celui de réserve de valeur. Si vous possédez un poisson frais pêché équivalent aujourd'hui à un poulet, il est à craindre que, dans deux semaines, ce poisson ne vaille plus rien... Il n'y a pas toujours conjonction entre le moment où nous acquérons un bien de valeur et le moment où nous voulons utiliser cette valeur pour acquérir un autre bien. La monnaie permet heureusement de « stocker » cette valeur pour le moment où nous en aurons besoin. Le poisson est ainsi toujours frais.

Ces trois fonctions correspondent à la conception classique de la monnaie. Selon cette approche, la monnaie n'est utilisée qu'en vue d'échanger des biens. Mais dès la première moitié du XXe siècle, un économiste anglais, John Maynard Keynes, remarquait que la conception classique était trop réductrice. La monnaie, constatait-il, pouvait aussi être demandée pour elle-même dans deux cas : en vue de détenir des

« encaisses de précaution » (pour faire face aux aléas de la vie), ou de « spéculation » (pour réaliser des profits rapides).

Vous avez dit « spéculation » ? Ce mot est devenu à lui seul une accusation, un symbole et une quasi-insulte. Accusation, car il ne se prononce pas sans référence implicite à une coupable vénalité ; symbole, car il connote l'égoïsme, ce mal supposé de notre temps, exact opposé de la nécessaire solidarité ; quasi-insulte, enfin, car il est synonyme de malhonnêteté, à la limite, d'escroquerie.

La vérité est plus complexe. Comme souvent, l'opposition binaire entre le blanc et le noir est largement illusoire. Il s'agit plutôt d'un continuum qu'une opposition claire entre deux blocs, dont l'un serait irrémédiablement condamnable et l'autre parfaitement recommandable. Certes, il existe des spéculateurs qui visent le profit à très court terme. Il serait absurde de nier que ces gens sont motivés par autre chose que par l'appât du gain. Mais, à bien y réfléchir, le particulier qui achète des actions à la bourse le fait rarement pour soutenir financièrement une entreprise pour laquelle il aurait de l'estime ou de l'affection ; il le fait parce qu'il espère que le cours de l'action va monter et qu'il pourra ainsi, à terme, réaliser un profit. C'est aussi le but de tout commerçant que de vouloir tirer profit de son activité. Créer de la valeur par son travail, quel qu'il soit, est notre but à tous. Comme l'a écrit Adam Smith en 1776 dans un passage de « la Richesse des Nations » resté célèbre : « *Ce n'est pas de la bienveillance du boucher, du marchand de bière et du boulanger, que nous attendons notre dîner, mais bien du soin qu'ils apportent à leurs intérêts. Nous ne nous adressons pas à leur humanité, mais à leur égoïsme.* » Nous ne voulons pas dédouaner les spéculateurs d'une certaine responsabilité dans les désordres des marchés financiers, mais simplement remarquer qu'il est absurde d'opposer ceux qui feraient leur métier par philanthropie et ceux qui ne seraient que des égoïstes. Les spéculateurs, aussi tournés vers les gains immédiats qu'ils soient, participent tout de même, d'une certaine façon, au fonctionnement des échanges, à la rencontre des offreurs et des demandeurs de liquidités, autrement dit à la prospérité économique ! Les spéculateurs exploitent les possibilités données par les marchés. Si l'on constate que certains débordements ont pu avoir lieu à la faveur de mécanismes de « bulles » (nous y reviendrons), alors il faut mettre en place des garde-fous, et non interdire purement et simplement l'activité. Exactement comme il faut mettre des barrières le long des fenêtres pour éviter que l'on bascule, mais certainement pas murer les fenêtres…

« Il suffirait à l'État d'imprimer plus de monnaie pour pouvoir augmenter le pouvoir d'achat de chacun »

Le thème du « pouvoir d'achat » a occupé les premières pages des journaux pendant de longs mois. À cette occasion, nombre de Français ont pu se demander pour quelle raison l'État ne « produisait » tout simplement pas plus d'argent pour permettre d'augmenter facilement tous les salaires... Ce n'est évidemment pas si simple.

Nous avons rappelé les différentes fonctions de la monnaie. Reste à expliquer comment, au juste, se crée l'argent que nous utilisons.

La monnaie, comme un fleuve, prend sa source à différentes rivières.

Rappelons d'abord que la monnaie prend de nombreuses formes. À vrai dire, elle a même historiquement pris quasiment toutes les formes : bétail, sel, coquillages, perles, bagues en cuivre, tablettes de thé séché, œufs, etc. Il suffit, pour qu'un objet devienne une monnaie, que chacun le reconnaisse comme tel ! Bien entendu, il faut aussi que cet objet ne soit pas présent en abondance ou puisse être créé par chacun ; s'il suffisait à n'importe quel individu d'écrire un montant sur un bout de papier pour créer de l'argent, la valeur de ces papiers s'effondrerait aussitôt. Il faut – et c'est peut-être ce qui n'est pas le plus facile à comprendre – que la monnaie en circulation corresponde à la somme de la valeur réelle qui est attribuée aux biens.

Par exemple, dans un monde où il n'y aurait que cent poissons, la monnaie ne doit pas pouvoir permettre d'acheter plus de cent poissons. Que se passe-t-il si c'est malgré tout le cas ? La valeur de la monnaie en termes de poisson va mécaniquement baisser jusqu'à équivaloir à cent poissons seulement. Il faudra alors plus de monnaie pour acheter le même poisson. C'est ce qu'on appelle l'inflation ! Cette loi d'airain de la correspondance entre la somme totale de monnaie en circulation à un moment donné (on appelle cette somme la « masse monétaire ») et la somme des valeurs des biens explique que les objets choisis pour servir de monnaie ont toujours pour caractéristique d'être en nombre limité. Les métaux précieux tels que l'or et l'argent, qui sont par définition très difficiles à trouver, ont ainsi depuis toujours servi de monnaie.

Certains lecteurs pourront cependant remarquer à bon droit qu'aujourd'hui les pièces et les billets n'ont plus de valeur intrinsèque. Le terme d'« argent » utilisé pour désigner la monnaie fait en effet référence à un métal qui n'est plus du tout présent dans les pièces actuelles. Les pièces ou les billets sont produits par la puissance publique (en fait, par une autorité publique indépendante de l'État spécialement vouée à cette tâche : la Banque centrale). Ils forment ce que l'on appelle la monnaie « fiduciaire » – du latin *fiducia*, la confiance – car leur acceptation par les vendeurs d'un bien dépend de la confiance qu'ils ont en la puissance publique qui produit cette monnaie. Cela veut-il dire qu'un commerçant mauvais coucheur pourrait refuser vos euros s'il prétendait avoir perdu confiance en cette devise ? Non, car la monnaie utilisée dans un pays est dite « à cours forcé », c'est-à-dire que l'État impose de l'accepter comme mode de paiement.

On comprend bien que la tentation soit grande pour un État, en période de difficulté financière, de « faire marcher la planche à billets » comme l'on dit, c'est-à-dire tout bêtement de faire imprimer plus d'argent pour payer ses propres dettes et résorber ses propres déficits. Ce cas n'est pas sans exemple dans l'histoire... Comme nous l'avons vu cependant, la sanction d'une telle politique est toujours la même : l'inflation, qui fait perdre sa valeur à la monnaie. Pour empêcher ces pratiques budgétaires qui ont causé bien des drames dans l'Histoire (l'arrivée des nazis au pouvoir en Allemagne après l'hyperinflation des années 1920, pour ne citer qu'elle), une solution efficace a été trouvée : les Banques centrales sont devenues absolument indépendantes des États. La politique monétaire (autrement dit l'action sur la quantité d'argent en circulation) d'un pays était ainsi rendue imperméable aux volontés politiques de ses dirigeants.

Ajoutons qu'avec le passage à l'euro, le verrou s'est encore renforcé : c'est désormais la Banque centrale européenne (BCE), qui est en charge de façon absolument indépendante de la politique monétaire européenne. Même s'il se trouve des responsables politiques pour regretter de temps à autre l'époque où ils pouvaient décider eux-mêmes de cette politique, il reste qu'aujourd'hui ce principe est fermement ancré comme gage de stabilité monétaire. Cette question de la politique monétaire est centrale dans le débat autour de la crise, des développements spécifiques lui seront consacrés dans un prochain chapitre.

Comment se crée la monnaie ? On parle parfois de « planche à billets », qui évoque les images de ces gigantesques imprimeries débitant à grande vitesse des rames de billets tout frais. Au sens propre, c'est donc vrai, la Banque de France fait marcher la planche à billets chaque jour !

Pourtant, cela n'est pas la source principale de création monétaire. La majeure partie de la monnaie est dite « scripturale », car elle prend simplement la forme de sommes écrites. Comment cela peut-il être de l'argent, ou plutôt comment ces sommes sont-elles créées ? Ce sont les banques elles-mêmes qui créent la majeure partie de cette monnaie « virtuelle » (et pourtant bien réelle). En effet, lorsqu'une banque reçoit un dépôt, elle sait que la plupart des gens ne demandent pas à retirer leur argent en liquide (le nom technique du « liquide » est la « monnaie divisionnaire ») mais se contentent d'avoir un montant inscrit sur un compte. La banque va alors être autorisée par l'État à prêter à d'autres gens ce montant déposé, et même un peu plus. Si elle a 100 euros en dépôt par exemple, mettons qu'elle pourra prêter à hauteur de 110 euros à un emprunteur. 10 euros apparaissent ainsi ! C'est ce qu'on appelle le « multiplicateur de crédit ».

Ce mécanisme est bien entendu strictement encadré. En premier lieu, n'est pas banquier qui veut. Une banque a besoin d'un capital minimum important, elle doit être autorisée à exercer son activité par le Comité des Établissements de Crédit, et ses dirigeants doivent prouver leur capacité professionnelle. Il faut ensuite prendre en compte le risque que le déposant vienne retirer ses avoirs, c'est pourquoi il faut toujours que la banque garde des réserves suffisantes. Ce système de création monétaire ne marche que si les déposants font confiance à la banque, autrement dit si on pense qu'elle sera capable de rembourser à tout moment le montant des comptes en liquide. En réalité, ce remboursement total de tous les comptes serait impossible ! Si par malheur cette confiance se perd, et qu'un vent de panique générale saisisse les déposants, aucune banque ne dispose d'assez d'argent liquide pour solder tous ses comptes. Ce genre de phénomène a provoqué la faillite de plus d'une banque par le passé, y compris récemment (Fortis, par exemple, n'a dû sa survie qu'à l'intervention de l'État belge).

Même si la création de monnaie par le système bancaire est strictement encadrée par la loi comme nous l'avons dit, cela reste une opération complexe et difficile à piloter. Laisser trop de monnaie se développer, d'une manière ou d'une autre, est mauvais pour l'économie. La crise financière actuelle est d'ailleurs largement imputable à un gonflement excessif de la création monétaire par l'activité de crédit, comme nous le montrerons plus loin.

« La banque est une création moderne du capitalisme »

L'existence des banques ne date pas d'hier. C'est un vieux métier, antérieur à ce que l'on entend aujourd'hui par système capitaliste. On trouve des traces d'activités bancaires en Mésopotamie, 3 000 ans avant notre ère. Dans l'antique ville d'Ur, c'est le Temple qui jouait le rôle de banque et les prêtres et prêtresses celui de banquier en acceptant le prêt sur marchandises (particulièrement les céréales).

Avec l'apparition de la monnaie (que l'on situe aux alentours du VIIe siècle avant J.-C.), les opérations de dépôt et de prêt d'argent se sont développées en dehors du cadre religieux, par les personnes civiles dont c'était la profession.

Durant l'Antiquité grecque (dont l'apogée se situe au Ve siècle avant notre ère), chaque cité était indépendante et frappait sa propre monnaie. Il y avait donc des changeurs de monnaie, souvent installés au beau milieu de l'agora (la place publique de la cité), pour permettre le bon développement du commerce. Sans eux, jamais les Grecs n'auraient pu développer le commerce entre les cités.

Sous l'Empire romain, les activités bancaires se complexifient. Des banquiers privés reçoivent des dépôts, pratiquent le prêt, et mettent au point nombre de mécanismes financiers qui n'ont rien à envier aux banques d'aujourd'hui.

Le mot « banque » serait apparu au Moyen Âge. Il dériverait de l'italien *banca* qui désigne un banc en bois sur lequel les changeurs exerçaient leur activité. Les premiers banquiers de cette époque, comme ceux de la Grèce, sont les changeurs. Cela se comprend aisément puisque le premier besoin des marchands exerçant dans des pays différents est de convertir des monnaies entre elles. Et des monnaies, il y en avait des centaines en circulation, car chaque grand seigneur ou chaque grande ville avait le droit de frapper la sienne !

Les échanges commerciaux s'accéléreront encore à partir des premières croisades (dès le XIe siècle). Alors que les armées chrétiennes tentent de libérer Jérusalem des musulmans, d'intenses courants d'échange naissent entre les rives de la Méditerranée. Naturellement, les banques y participent en facilitant les achats et les ventes de biens (objets précieux, peaux d'animaux, etc.) et matières premières (céréales, épices, métaux, etc.).

C'est également à partir de cette époque que se développent dans la péninsule italienne des banques d'une taille et d'une puissance jusque-là inégalées. Venise crée en 1174 le premier établissement bancaire : la banque de Saint-Marc. Elle poursuivra ses activités jusqu'en 1797… Dès cette époque, le développement du commerce permet aux banques de s'implanter un peu partout en Europe. Les échanges entre l'Europe et l'Orient, l'existence de grandes routes commerciales en Europe du Nord, l'importance des foires de Champagne et de Lyon, facilitent l'utilisation de nouveaux outils bancaires tels que la lettre de change [1].

---

1. La lettre de change permet aux marchands de ne plus se déplacer avec leurs coffres d'or. Il s'agit d'un système totalement sécurisé qui permet au

Avec la Renaissance (à partir du XIVe siècle), de grands établissements internationaux sont créés. Ils appartiennent à des familles restées illustres pour avoir prêté aux rois et aux princes de l'époque : les Fugger en Allemagne, les Strozzi, les Alberti ou les Médicis à Florence. Cette dernière famille de banquiers dirigera longtemps Florence et portera cette ville au sommet de son rayonnement artistique. C'est à cette époque qu'est inventé le chèque, instrument de paiement encore si cher au cœur de bien des Français. Les fondements de la banque moderne sont déjà en place à cette époque.

Les villes de Londres et d'Amsterdam deviennent au XVIIe siècle des places financières importantes. L'apparition du papier-monnaie (la monnaie fiduciaire dont nous avons parlé plus haut), au même moment, va alors donner un coup d'accélérateur important aux activités bancaires. La monnaie entame alors un processus de dématérialisation qui est aujourd'hui devenue presque totale ! C'est à ce moment-là que les Banques centrales comme la Banque d'Angleterre font leur apparition pour financer les États et pour contrôler l'émission d'argent. Le rôle de ces insti-

---

porteur d'une créance (celui à qui on doit de l'argent) d'être payé auprès d'un bureau de change. Sur la lettre de change sont inscrits le montant et la date de paiement. Le marchand peut ainsi voyager à travers l'Europe sans crainte des brigands !

tutions, véritables banques des banques, sera alors précisé peu à peu. Les Banques centrales s'imposeront comme les gardiennes incontournables de chaque monnaie nationale.

La Banque de France est ainsi créée le 18 janvier 1800 par le Premier Consul Napoléon Bonaparte. Le XIXe siècle est pour les banques une sorte d'âge d'or ; une période de croissance et de grande stabilité. La révolution industrielle et son cortège d'innovations (création de la machine à vapeur, production d'acier, de charbon et de textile en masse, création de la société anonyme, etc.) va permettre un développement sans précédent de la monnaie fiduciaire (les billets) et surtout de la monnaie scripturale (des écritures sur des comptes bancaires).

Cette période correspond également à la création de grandes banques telles que la Société générale et le Crédit lyonnais en France, la Deutsche Bank en Allemagne, la Barclays Bank en Grande-Bretagne.

À partir du début du XXe siècle, ou plus exactement après le traumatisme de la Première Guerre mondiale, les banques sont dotées de tous les attributs de la banque contemporaine. Elles peuvent recevoir des dépôts, accorder des crédits à tout type de clientèle et pour toute durée, mettre en place et gérer des moyens de paiement, effectuer des opérations connexes à leur activité principale (change, conseils et gestion en matière de placement, conseils et gestion en matière de patrimoine pour les particuliers, conseils et gestion au service des entreprises).

Si historiquement les banques sont souvent des entreprises familiales, d'autres modèles ont pu se développer, en particulier celui de la banque mutualiste, contrôlée par ses sociétaires qui détiennent des parts (et qui sont souvent ses clients). C'est un régime qui provient de l'esprit coopératif, initié notamment par le milieu agricole. Le Crédit agricole, le Crédit mutuel, la Banque populaire et plus récemment les Caisses d'épargne en sont les représentants.

Disons deux mots du Crédit agricole, qui reste la banque la plus connue des Français. Son histoire remonte à la fin du XIXe siècle. La création de la toute première Caisse locale a lieu en 1885 à Salins (Jura). Dans les premières années, l'activité est d'abord exclusivement composée de prêts à court-terme, autrement dit d'avances sur récoltes qui permettent aux agriculteurs de vivre mieux. Il s'agit en effet de se substituer aux usuriers des villages qui profitent honteusement de la misère des campagnes. Viendront ensuite les prêts à moyen puis long terme qui leur permettront de s'équiper, d'acheter du bétail. Ce n'est qu'en 1920 qu'apparaît, sous l'égide de Louis Tardy, l'Office national du Crédit agricole, devenu en 1926

Caisse nationale du Crédit agricole. Puis, de croissance en transformations (il absorbe notamment le Crédit lyonnais en 2003), le Crédit agricole est devenu aujourd'hui un groupe bancaire international.

Cet exemple montre clairement, contrairement à une idée reçue et tenace, que les banques sont bien autre chose que la simple émanation de la cupidité de quelques nantis. Dans la pratique, bon nombre des plus grandes banques contemporaines sont au contraire les héritières d'un authentique mouvement social d'entraide.

Reprenons le fil de notre histoire. Au début du XXe siècle, l'État encadre petit à petit l'activité des banques. Il renforce son autorité sur elles et impose des contrôles réguliers. La crise boursière de 1929 (déjà !) donne une impulsion nouvelle à ce contrôle : aux États-Unis, le président Roosevelt sépare de manière stricte les banques d'affaires (destinées aux grandes entreprises) des banques de dépôts (pour les particuliers et les petites entreprises). En 1945, la France nationalise un certain nombre de banques, dont la Banque de France.

À partir des années 1960, les banques prennent enfin l'importance qu'elles ont aujourd'hui. Avec le développement du salariat, qui vient remplacer le paiement à la journée, le besoin de déposer son argent sur un compte se fait sentir chez une proportion de plus en plus importante de la population. Les personnes sont ainsi de plus en plus nombreuses à posséder un compte bancaire. De nouveaux clients apparaissent : les femmes, les jeunes et les enfants par l'intermédiaire de leurs parents. Un nouveau moyen de paiement naît, promis à un brillant avenir : la carte bancaire.

Avec la période d'expansion économique des Trente Glorieuses, le niveau de vie général des Français augmente et les ménages s'enrichissent. Ils ont la possibilité d'épargner une partie de leur revenu chaque mois, et d'élaborer ainsi des projets d'investissement. La banque développe ses services de prêt immobilier, de prêt à la consommation, et plus généralement tous les services qui accompagnent l'épargnant dans la gestion de ses actifs.

Dans le même temps, les groupes bancaires grossissent. Ces établissements travaillent dans le monde entier : Europe, Amérique, Asie, Afrique, Australie. Leurs activités se diversifient : investissement dans l'industrie et l'immobilier, présence sur les marchés financiers, etc.

Les règles qui régissent le contrôle des activités des banques, pour s'assurer qu'elles sont solides, deviennent plus précises et s'internationalisent. En particulier, le lien entre le capital de la banque, les crédits qu'elle peut faire et donc les risques qu'elle doit assumer, devient plus explicite, plus clair.

« La banque se transforme à partir des années 2000 »

Toutes les banques n'ont pas la même histoire, les mêmes savoir-faire et donc les mêmes structures d'activités. Aux États-Unis, on l'a vu, coexistent depuis les années 1930, d'un côté les banques de dépôts et de l'autre les maisons de titres de Wall Street aux noms désormais connus : Goldman Sachs, Morgan Stanley… si l'on ne cite que ceux qui ont résisté à la tourmente de la fin 2008.

Parallèlement, la recherche en finance bouge. Le père fondateur de la discipline est un Français, Louis Bachelier, qui soutient en 1900 à l'Université de Paris une thèse de mathématiques intitulée « La théorie de la spéculation ». Erreur fatale dans l'univers cloisonné de la recherche : les mathématiciens ne le reconnaissent pas et les économistes vont l'ignorer pendant plusieurs décennies.

Ce n'est qu'en 1956 que son nom apparaît dans un livre d'économie publié par P.A. Samuelson, futur prix Nobel d'Économie. L. Bachelier a ouvert la voie à une analyse probabiliste des marchés, il a en effet considéré le marché obligataire de l'époque comme un « jeu équitable ». Cette approche a été ensuite intégrée dans un cadre plus vaste par Eugène Fama dans les années 1960-1970 pour donner naissance à ce qui constitue le corps de doctrine de la théorie des marchés : l'efficience des marchés, c'est-à-dire que le cours des valeurs à un instant « t » prend en compte de façon pertinente toutes les informations disponibles.

Puis apparaissent les analyses qui vont servir de support à la gestion des SICAV : la théorie du portefeuille de Markovitz ou le modèle CAPM (Capital Asset Pricing Model) de Sharpe pour arriver à la découverte de la formule de Black et Sholes permettant de calculer le prix d'une option. Nous sommes en 1970.

L'appareillage mathématique s'est complexifié et les applications pratiques se sont multipliées depuis cette date. Mais le substrat reste le même. C'est cette vague de recherches et d'applications qui a permis que se développent et se sophistiquent les marchés. Les grandes banques se sont emparées de ces innovations pour les transformer en centre d'activités puis de profit. Les grandes maisons de Wall Street aux États-Unis, les *Investment Banks* à Londres comme SG Warburg ou les banques d'affaires françaises comme Paribas aujourd'hui BNP Paribas et Indosuez désormais Calyon, banque d'investissement du Groupe Crédit agricole. Ces banques ont une tradition des marchés sur laquelle elles ont capitalisé. Puis, à partir du début des années 2000, ces activités se sont développées avec une croissance à deux chiffres. C'est devenu le nouvel Eldorado. Dans la même période, est née et s'est développée la titrisation : il s'agit de la capacité de transformer un prêt, par exemple celui que vous avez contracté pour acheter votre maison ou votre appartement, en un titre (un peu comme une obligation). Le titre regroupe en fait plusieurs milliers de prêts et dont le montant et les caractéristiques sont tels qu'il devient négociable sur le marché. Tous ces prêts deviennent alors des titres, les volumes sur les marchés financiers augmentent. On crée ensuite avec ces fameuses options des produits dits structurés c'est-à-dire qui correspondent le mieux possible aux besoins des investisseurs qui gèrent l'argent des épargnants que nous sommes. Et voilà !

Dans le contexte de 2005, juste avant la crise, tout semble parfait. Les marchés se développent, le financement de l'économie est assuré de façon efficiente, les banques gagnent de l'argent. Dans le même temps, tout le monde a le sentiment que le risque est mesuré puisque tout se passe conformément à ce qui est prévu par les modèles d'analyse développés par les héritiers de Bachelier.

C'est dans cet univers de confiance partagée que l'orage de la crise va se déclencher, surprenant de nombreux acteurs, banquiers en tête.

« La banque ne sert à rien »

Les banques, on l'aura compris, servent fondamentalement à mettre en rapport ceux qui ont de l'argent (on parle de « capacité de financement ») et ceux qui en ont besoin (on parle de « besoin de financement »). Ces agents peuvent être des ménages, des entreprises ou des collectivités publiques. La plupart du temps, les plus gros agents à capacité de financement sont les ménages, qui épargnent, et ceux qui sont en besoin de financement sont les entreprises, l'État et les collectivités territoriales [1].

Ce financement peut s'opérer de manière directe ou indirecte. Dans le premier cas, les entreprises s'adressent directement à des investisseurs en allant les rencontrer sur des marchés spécifiques ; ce sont les marchés financiers. Dans le second, les agents à capacité de financement confient à une institution la répartition de ces capacités auprès des agents ayant des besoins de financement ; ces institutions s'appellent des banques.

Dans la pratique, les banques sont des sociétés financières pouvant effectuer toutes sortes d'opérations : recevoir et gérer des dépôts,

1. Cette distinction entre agents à capacité et à besoin de financement est proposée pour plus de clarté, mais en réalité, la plupart du temps, chaque agent emprunte et prête des fonds.

accorder des crédits, proposer et gérer des moyens de paiement et des services financiers.

Ces établissements peuvent également effectuer des opérations de change et proposer des conseils en matière de placement ou de patrimoine, pour les particuliers et les entreprises. Les banques, qui possèdent en général un réseau d'agences, utilisent également d'autres moyens de distribution, comme les opérations bancaires par Internet ou les guichets automatiques dans les lieux publics.

Il existe donc deux modalités essentielles de mise en relation entre les agents à capacité de financement et les agents à besoin de financement. Ils peuvent se rencontrer sur les marchés financiers, dans ce cas, on parle de financement direct ou financement de marché. Ou alors ils passent par des intermédiaires qui sont les banques ou les institutions financières, on parle alors de financement indirect ou financement intermédié.

Le banquier, pourrait-on dire en deux mots, est un commerçant de l'argent. Comme un commerçant, il propose des services utilisant un savoir-faire particulier, et fait naturellement payer ses services. De la même manière qu'un plombier facture son intervention sur votre chauffe-eau ou un avocat son conseil juridique, il est normal que le banquier « facture » le service qu'il apporte à ses clients. Mais à la différence du plombier par exemple, le service fourni par un banquier peut prendre un très grand nombre de formes : conserver votre argent et le rendre accessible de n'importe où, acheter pour votre compte des actifs financiers (actions, obligations), prêter de l'argent ou au contraire le placer pour vous, fournir des moyens de paiement qui seront utilisables dans le monde entier, etc. Ces services bien réels ont un coût, et il est normal que les clients le payent d'une manière ou d'une autre, exactement comme on paie son boulanger en échange du pain qu'il nous fournit. On l'oublie souvent, mais le fonctionnement du système des cartes de crédit, par exemple, implique l'entretien de coûteuses machines de retrait automatique à tous les coins de rue et une gestion informatique complexe. C'est cela que l'on paie lorsque la banque prélève sur votre compte bancaire des frais.

Au-delà des services bien concrets que procure votre banque, il faut souligner que le système bancaire répond à un besoin essentiel de l'économie : celui de l'animation et du contrôle des flux financiers dans leur articulation avec l'économie réelle. Autrement dit, la banque est avant tout un intermédiaire entre les épargnants et les emprunteurs. D'autres institutions financières, telles que les courtiers en valeurs mobilières, sont également des intermédiaires entre acheteurs et vendeurs d'actions, mais ce sont la prise de dépôts et l'octroi de prêts qui distinguent une banque.

Évidemment, l'argent déposé par les épargnants continue de leur appartenir et pourra être récupéré sur simple demande (ou au bout d'un délai précis pour certains placements « bloqués »). C'est la gestion de ces dépôts qui fait le profit des banques. Comment ? En utilisant ces dépôts pour prêter à ceux qui en ont besoin (particuliers voulant acheter une maison, entrepreneurs voulant se développer, États voulant financer ses déficits, etc.).

On l'a vu plus haut, les banques jouent un rôle important dans le système de création monétaire et ont une relation particulière avec la Banque centrale.

Pour les particuliers que nous sommes tous, le banquier est aujourd'hui aussi essentiel que notre médecin. Sans lui, nous serions obligés de garder notre argent liquide chez nous, risquant ainsi de nous le faire voler, ou bien plus sûrement de voir sa valeur s'effriter du fait de l'inflation. Sans lui, nous ne pourrions dépenser que ce que nous avons comme actif à un instant donné, sans que nos revenus futurs soient pris en compte. Difficile alors pour la plupart d'entre nous d'acheter son logement ou même une voiture… La banque est l'auxiliaire de tous nos projets tout au long de notre vie.

Pour les entreprises, l'utilité de la banque n'est pas moins grande. Elle permet de financer une trésorerie momentanément négative ; elle accompagne le développement de son activité et l'aide à obtenir les capitaux dont elle a besoin ; elle garantit aussi contre les risques de change, les risques de variation des taux d'intérêt, diminuant ainsi l'incertitude qui la gêne dans son activité.

« La banque se borne à garder votre argent sur un compte »

Le développement des banques a été tel que nombre d'entre elles sont devenues des groupes aux multiples activités qui opèrent dans plusieurs dizaines de pays. On parle alors de « banques universelles ». Aussi, pour mieux comprendre la façon dont elles sont organisées, utilisons le modèle classique d'analyse des activités bancaires qui consiste à les regrouper par grands domaines définis à partir des métiers, des savoir-faire et des clientèles. Cette nomenclature est celle que présentent les grands groupes bancaires cotés en bourse lorsqu'ils rendent compte de leurs résultats aux marchés.

Le premier lot ou domaine d'activités stratégiques est celui de la banque de détail. C'est le *business* historique de la banque : collecter l'épargne pour accorder ensuite des crédits aux entreprises et particuliers qui souhaitent emprunter. La plupart du temps, les banques font plus de la moitié de leur activité de détail dans leur pays d'origine (qui peut être le lieu de leur siège social). Construire un réseau est en effet long, coûteux et difficile. Les analystes s'intéressent à cette activité car elle permet d'apprécier les performances fondamentales d'une banque.

Un tel critère permet déjà d'attribuer un ancrage géographique dominant à une banque. Ainsi, HSBC est une banque souvent qualifiée d'asiatique car elle réalise dans cette région une très grande part de son activité. BBVA et Santander exercent une activité importante dans la banque de détail en Espagne bien sûr, mais aussi en Amérique du Sud et commencent à se développer aux États-Unis dans le sud hispanophone. Les banques allemandes, autrichiennes, néerlandaises, Unicredito et Société générale sont plus orientées vers les pays de l'Europe de l'Est. BNPP intervient aux États-Unis et en Europe de l'Ouest. Le Crédit agricole a choisi l'Eurozone et les pays arabes.

Globalement, la banque de détail, activité à revenus et rentabilité récurrents, représente en général plus de 50 % de l'activité de ces banques « universelles » (celles qui exercent la panoplie complète des activités) européennes.

Activité traditionnelle, elle est plus ou moins bien valorisée par les analystes financiers suivant les différentes phases du cycle économique.

Lorsque les marchés financiers sont dynamiques et que les banques d'investissement affichent des résultats et des rendements élevés, la banque de détail fait l'objet d'une certaine condescendance. À l'inverse, et cela a été sensible notamment au début de 2009, la solidité, une certaine forme de sécurité dans les revenus qu'apporte la banque de détail, a contribué à une meilleure appréciation, en termes relatifs, de ce métier.

Second type d'activité : la gestion de l'épargne. Sont prises en compte la gestion d'actifs, la banque privée et l'assurance, au premier rang de laquelle figure, en France tout au moins, l'assurance-vie. Ces métiers se caractérisent par une grande stabilité de flux de revenus. L'intérêt de la gestion d'actifs par rapport à l'assurance-vie est qu'elle requiert moins de capital. Ceci est logique dans la mesure où l'assureur apporte différents types de garanties aux assurés, les engagements ainsi pris (et qui portent sur une durée assez longue) nécessitent d'être sécurisés par des fonds propres qui seront en rapport avec le risque couvert.

Le troisième lot comprend ce que l'on a coutume d'appeler les services financiers spécialisés. Ce sont par exemple les activités de crédit à la consommation.

Le quatrième lot regroupe les activités de la banque de financement et d'investissement. Ils représentent pour les banques françaises environ 30 % des fonds propres alloués.

Il serait erroné de considérer que ces métiers sont parfaitement homogènes : le poids des activités de financement est variable suivant les groupes. Certains ont un fort historique de banque commerciale dédiée aux grandes entreprises internationales. D'autres ont développé des activités plus sophistiquées, comme les financements structurés ou les financements de projets.

Certains groupes sont des acteurs importants en matière d'intermédiation boursière. D'autres sont pratiquement absents de ce type de spécialités.

Enfin, à l'intérieur des activités de marché, les principaux groupes ont eu tendance à se spécialiser. Certes ils offrent tous une très large gamme de produits et services, mais certains ont développé une compétence particulière dans les produits complexes. C'est le cas pour les dérivés actions, ces fameux produits à base d'options, c'est-à-dire la capacité d'acheter ou non ou de vendre ou non à terme ces actions à un prix convenu, ce qui fait que la place de Paris est désormais reconnue pour son savoir-faire dans cette spécialité. Tous ces produits sont la matière première sur laquelle travaillent les fameux traders.

« La banque ne crée pas d'emplois »

Alors que le taux de chômage en France atteint presque les 9 % de la population active avec

2,5 millions de personnes en recherche d'emploi, la banque demeure un secteur d'activité important.

Le secteur bancaire emploie plus de 400 000 salariés. Il est le troisième employeur privé de France et représente 3,7 % de la valeur ajoutée en France, un chiffre comparable au secteur des biens d'équipement, du bâtiment ou des transports et largement supérieur au secteur automobile qui n'emploie directement « que » 250 000 personnes environ. La banque est ainsi un véritable pilier de l'économie française, qui offre chaque année de très nombreuses opportunités de carrières à des jeunes entrant sur le marché du travail.

Les profils recrutés sont très divers : le secteur recherche des jeunes diplômés d'écoles de commerce, d'ingénieurs, des profils universitaires de bac +2 à bac +5 issus d'une formation en commerce, gestion, finance. Mais pas seulement. Les diplômés de lettres, sciences humaines et sociales peuvent aussi tenter leur chance. Pour attirer les candidats, les banques déploient d'ailleurs d'importants efforts : grandes opérations de recrutement ouvertes aux différents profils avec des promesses d'embauche en CDI, évolutions professionnelles variées (mobilité verticale, transversale, géographique), rémunérations et conditions attrayantes...

2.

« Les banques sont coupables de la crise »

Le fait que l'on oublie : La crise des *subprimes* a d'abord été la conséquence d'une **volonté politique** américaine, celle de permettre à un très grand nombre de ménages américains, y compris très modestes, de s'endetter lourdement pour acheter leur logement.

« Les banques n'ont pas réagi assez tôt »

Que Madoff soit un escroc ne fait aucun doute. Que les dirigeants de Lehman Brothers et Bear Stearns aient lourdement failli n'est pas discutable. Certains se sont laissé emporter par les évènements. Les autres, une majorité, ont tenté de faire leur travail.

Pour tenter de démêler cet écheveau, comprendre ce qui s'est passé, qui a fait quoi, il faut commencer par un retour en arrière. En retraçant ces évènements, nous essaierons de mettre en évidence les moments clés qui expliquent les changements de phase ou de nature de la crise. Ce n'est que dans un deuxième temps que l'on pourra cerner le rôle et la responsabilité réelle des différents acteurs.

L'une des questions que le grand public se pose est : pourquoi n'ont-ils rien vu venir ? Comment, se dit-on avec raison, tous ces spécialistes, ces professionnels pointus, ces surdiplômés de toutes sortes ont-ils été assez aveugles pour se retrouver lors de l'arrivée de la crise aussi démunis que les riverains des côtes du Sri Lanka lors du tsunami de 2004 ?

La crise occupe tellement les esprits et l'espace médiatique depuis quelques mois qu'elle nous semble avoir toujours fait partie du paysage. Pourtant, le rappel des évènements montrera qu'elle est formidablement récente. Si, comme certains le prédisent, la reprise s'annoncera effectivement au cours de l'année 2010, alors la récession aura duré à peine plus d'un an !

Quand tout cela a-t-il commencé ? Pas facile, déjà, de répondre à cette question apparemment simple. Une crise n'est pas comme un tremblement de terre ou un ouragan. Il n'y a pas un avant, une heure « h » et un après où l'on compte les victimes. Non, une crise économique est plus diffuse. Elle n'apparaît pas tout de suite aux yeux de ceux qui la vivent, et sa disparition, de même, peut intervenir longtemps avant qu'on s'en aperçoive.

Est-ce le 7 août 2007 [1] lorsque les dirigeants de BNP Paribas suspendent brutalement le remboursement de certaines des « SICAV dynamiques [2] » qu'ils gèrent, considérant que la situation est telle que les autorités vont arrêter les cotations comme ce fut le cas en septembre 2001 ? Assurément non, même si cette décision a provoqué la médiatisation d'un dérèglement des marchés qui, en réalité, a commencé au début du mois de février 2007.

C'est en effet à cette date qu'un indicateur répondant au doux nom de « ABX-HE », relié aux crédits immobiliers (dont certains risqués, les fameux *subprimes*), décroche. Pour la première fois, des actifs considérés comme sans risque par les acteurs du marché sont brusquement cotés en dessous de leur valeur nominale. Autrement dit, des actifs sans risque sont brusquement perçus comme risqués ! Le séisme dont l'épicentre est américain va toucher toute la planète, mondialisa-

1. Source : Revue de la Banque de France, « la crise financière », février 2009, nº 2, p. 5.

2. Les SICAV (Sociétés d'Investissement à Capital Variable) sont également appelées FCP (Fonds Communs de Placement). Elles fournissent aux investisseurs un produit de placement soumis à des variations aussi limitées que possible, afin de leur assurer un placement à revenu fixe.

La SICAV dynamique (par opposition à la SICAV classique), quant à elle, est constituée de produits monétaires s'inscrivant dans des durées plus longues. Elle peut durer 2 ans, au maximum.

tion oblige. Et les banquiers européens vont eux aussi encaisser la secousse.

Trois mois plus tard, en mai 2007, certains produits financiers [1] qui avaient connu un développement énorme ne trouvent plus d'acheteurs.

Les clignotants d'alerte s'allument sur les tableaux de bord des directions de toutes les banques du monde. Mais en quelques heures, les marchés cessent de fonctionner. Il est trop tard, les actifs qui « séjournent » dans le bilan des banques vont y rester durablement immobilisés, faute de trouver preneur. Il ne reste plus qu'à « faire l'inventaire », c'est-à-dire à essayer d'évaluer tous ces titres qui restent sur les bras. Exercice qui va d'ailleurs se compliquer car il n'y a plus de marché et donc plus de prix !

Très vite, le jeu de domino continue : en juin, les premiers signaux d'un fonctionnement anormal du marché entre banques apparaissent, l'argent prêt à être investi (on parle de « liquidité ») devient un peu plus difficile à trouver. Autrement dit, les investisseurs sont tous dans l'expectative et ne veulent plus placer un centime avant d'avoir vu la situation évoluer.

Certaines banques, comme le Groupe Crédit agricole, perçoivent cette tension – sans toutefois,

---

1. Les produits structurés CDO, pour *collateralized debt obligations*, incluant des actifs issus d'horizons divers.

à cette date, prendre la pleine mesure de la crise – et vont volontairement faire des réserves (on parle de situation de « surliquidité »).

Pour un banquier traditionnel comme pour tout chef d'entreprise, la liquidité – c'est-à-dire la disponibilité rapide et la moins coûteuse possible de l'argent nécessaire à leur activité – est naturellement un sujet d'attention. Imaginez alors la stupeur des professionnels du secteur quand, le 7 août, le marché monétaire qui fonctionnait depuis plusieurs dizaines d'années, et était l'exemple même du marché efficient [1] disparaît en quelques heures ! D'un seul coup, le monde de la banque bascule dans l'inconnu. Tous les manuels d'économie monétaire et bancaire sont désormais à réécrire.

Que font alors les banquiers ? Ils en reviennent très vite aux pratiques anciennes et retrouvent un réflexe qu'ils pensaient avoir oublié : direction la Banque centrale européenne (BCE) pour se refinancer, c'est-à-dire pour demander de l'argent frais émis directement par elle. Mais la BCE ne donne pas son argent « gratuitement » et sans contrepartie ; pour obtenir cette liquidité tant désirée, encore faut-il avoir suffisamment de créances à lui donner en échange. Un peu comme un particulier qui voudrait emprunter en échange

1. Nous reviendrons plus loin sur cette notion d'efficience des marchés.

d'une garantie : encore faut-il qu'il soit lui-même en possession de quelque chose ayant une valeur pour servir de garantie !

Les banques doivent alors commencer par compter leurs actifs : il faut pour cela les identifier, les classer, les enregistrer, les tracer. Cela semble évident pour un particulier, capable à tout moment d'évaluer *grosso modo* les différents actifs de son patrimoine, mais pas pour les banques de 2007. Quand tout va bien et que l'argent coule à flots, on a moins besoin de savoir heure par heure, précisément, où on en est. Certains établissements avaient perdu de vue ces sujets classiques mais de peu d'actualité depuis le début de l'année 2000. Ils ont dû adapter en catastrophe leur système. Ce ne fut pas le cas pour les plus grands établissements, dont les procédures plus rigoureuses avaient empêché ce genre de négligence.

Après une brève accalmie début septembre 2007, les acteurs du marché prennent progressivement conscience de la situation. Elle n'est pas bonne.

C'est à ce moment-là que les comportements basculent. Les annonces répétées de dégradation des notes accordées par les agences de notation [1] constituent un véritable choc. Les *monolines*, ces

1. Les agences de notation sont des entreprises spécialisées dans l'évaluation des actifs financiers, ce qui comprend notamment l'évaluation de leur risque.

compagnies d'assurances de droit américain qui fournissent aux banques une garantie qui porte sur le risque de perte sur les produits structurés, commencent à avoir des difficultés à assumer leurs obligations. Elles sont à leur tour dégradées. Les unes après les autres, les digues sautent. Dans la deuxième quinzaine de décembre 2007, un premier *monoline*, ACA, est en faillite. La tension sur le marché de la liquidité (autrement dit, la rareté de l'argent) monte encore à la fin de l'année. Elle traduit un niveau d'incertitude extrême. C'est un cercle vicieux : plus l'incertitude perçue est grande, plus les investisseurs vont choisir d'attendre, un peu comme pendant une tempête où chacun se cloître chez soi en attendant que ça se calme.

Le marché a perdu ses repères. Après la vague « SICAV » d'août puis la vague *monoline* de novembre-décembre 2007, où va-t-on s'arrêter ? Quelqu'un peut-il stopper un mouvement de plus en plus incontrôlable ?

Les entreprises les plus prestigieuses, celles qui, du haut de leur gratte-ciel de Manhattan, semblaient indestructibles, montrent alors des faiblesses insoupçonnées.

Créée en 1924, la banque d'investissement Bear Stearns avait été reconnue comme la « plus admirable » (*most admired*) société de valeurs mobilières par l'étude du magazine *Fortune*. En mars 2008, la société est touchée par la crise des prêts immobiliers dite des *subprimes.* L'action de la société perd 80 % de sa valeur, soit un retour en arrière de 10 ans. C'est un géant de Wall Street qui risque de s'effondrer comme un château de cartes.

C'est alors que la Banque fédérale américaine (la Fed – la Banque centrale) décide d'intervenir. Un prêt est consenti de toute urgence à Bear Stearns. Celui-ci ne suffira pas : deux jours plus tard, Bear Stearns est racheté par JP Morgan Chase au prix de 10 dollars l'action plus une garantie de 29 milliards de dollars, en cas de perte, accordée par la Fed ! Une action qui en valait 130 en octobre 2007…

On ne le saura qu'après, mais cette première disparition d'entreprise était le prélude à d'autres effondrements au sein des banques d'investissement de Wall Street, eux-mêmes précurseurs de la crise financière et économique mondiale.

Malgré tout, le sentiment qui prévaut alors est que la Réserve fédérale américaine a clairement montré qu'elle gère le risque systémique (le risque que le système s'effondre) et qu'elle fait son affaire du soutien aux plus gros acteurs du marché. Les craintes pesant sur la stabilité du système financier peuvent dès lors être levées. Bonnes gens, dormez tranquilles, la Fed veille. Le « too big to fail », trop gros pour disparaître, est en place. C'est en tout cas la conviction qui prévaut en Europe.

Aux États-Unis, le sentiment est plus confus. À New York, en mars 2008, et à la faveur de rencontres avec des banquiers, des *hedge funds*[1], des économistes de banque, des économistes universitaires, une agence de notation, quelques journalistes, l'idée s'impose que le marché du capital commence à se fermer pour les banques, au moins pour les capitalisations moyennes (les banques les moins grandes). Si, en façade, tout le monde affirme sa sérénité, la réalité est plus contrastée, plus floue. Les opinions des acteurs financiers sont anormalement divergentes, traduisant un niveau inhabituel d'incertitude.

En effet, si vous avez beaucoup de capital, vous êtes perçu comme solide, capable de résister à la crise. Alors on continuera à vous prêter. En revanche, si un doute existe sur la qualité des actifs inscrits à votre bilan et si la protection qu'offre votre capital est trop faible, alors, par prudence, on s'abstiendra de vous prêter.

Une banque qui semble souffrir de ce problème est rapidement considérée comme insolvable. Le cas de la banque britannique Northern Rock en offre une triste illustration. Même si elle restait fondamentalement solvable, sa possession de nombreux titres liés aux *subprimes* a provoqué

1. Fonds d'investissement à vocation spéculative.

quelques problèmes de liquidité. Cette annonce précipite la chute de la banque. Les clients de Northern Rock, pris de panique, se précipitent aux guichets pour retirer leurs avoirs (on appelle ce phénomène *bank run*). Les images des longues files d'attente aux portes des agences de la banque accentuent encore la perte de confiance. Finalement, la banque est nationalisée en février 2008.

Durant la période mars-septembre 2008, deux types de stratégies furent adoptés parmi les différentes banques.

Les unes sont convaincues que la crise va durer ou, à tout le moins, que l'incertitude est telle qu'il faut sécuriser tout ce qui peut l'être. D'où les augmentations de capital ou la réduction des risques sur certaines activités. Parmi ceux qui ont fait ce choix, citons le Crédit agricole, HSBC ou encore Santander un peu plus tard. Il est possible, dès cette période, d'imaginer qu'un choc financier de cette ampleur a nécessairement des conséquences sur l'activité économique. C'est vrai en particulier aux États-Unis où le système bancaire est assez largement paralysé par les subprimes, les banques ne prêtent plus suffisamment aux ménages et aux entreprises enclenchant le fameux « credit crunch [1] ». La Fed va tenter d'endiguer le

1. Que l'on peut traduire par « effondrement du crédit ».

phénomène en faisant elle-même le travail de prêts à l'économie que les banques ne font plus.

D'autres considèrent que les marchés vont progressivement récupérer et tout sera redevenu comme avant dès l'année suivante au plus tard. Ceux-là manqueront de capital à la fin de 2008 ou au début de 2009. Or ce capital est la garantie obligatoire de l'activité bancaire. Si la Banque centrale estime que la banque manque de capital, elle lui demande de l'augmenter, donc d'en trouver. Et, dans tous les cas, les marchés financiers ont déjà vu le problème et font pression.

Toutes les initiatives pour gérer au mieux les conséquences de la crise n'ont pas empêché le fort impact de celle-ci, y compris sur les comptes des banques françaises. Pourquoi ? Parce que les produits innovants de marché et en particulier les produits « structurés de crédit [1] » ont bénéficié d'un traitement prudentiel favorable, c'est-à-dire qu'ils n'ont globalement pas été estimés très risqués et donc on n'exige que très peu de capital en garantie de ces opérations. C'est pour cela que l'on a trouvé des « petits bouts de *subprime* » un peu partout dans le monde. Dans la réglementation de l'époque, on mettait plutôt l'accent sur les crédits classiques aux particuliers ou aux entre-

1. Ceux qui transforment en titres (« titrisent ») des dettes telles que les emprunts hypothécaires.

prises. Certes les systèmes de détection du risque auraient dû voir cela. Mais dans le contexte de l'époque, les responsables des risques des banques comme les multiples superviseurs constamment au chevet des banques sont passés à côté du problème.

« Les banques sont les seules responsables »

Quand un avion s'écrase, on sait que de multiples incidents surviennent de façon anormale au même moment et expliquent la chute. Les pilotes sont alors pris de court.

Scénario assez comparable à celui de cette crise. Le jeu croisé des événements et des acteurs est une réalité. Les responsabilités sont nombreuses, nécessairement différentes. Concentrer le tir sur les banquiers est en particulier injustement réducteur. Si l'on veut éviter que de tels phénomènes ne se reproduisent, il faut voir plus large, accepter que certains phénomènes soient mal connus ou mal maîtrisés. La dichotomie classique entre les bons et les méchants convient aux westerns américains, pas à la finance moderne.

Essayons d'y voir plus clair. Qui a, le premier, lancé le ballon sur un terrain de jeu encore mal défini ? La réponse est : les politiques.

Au milieu des années 1990, les responsables politiques américains ont souhaité que 70 % des citoyens deviennent propriétaires de leur logement. C'était un choix compréhensible, que pouvait en particulier justifier l'idée selon laquelle, dans un pays où la couverture sociale et les retraites sont faibles, la possession de son logement constitue un patrimoine de base minimum.

Pour atteindre cet objectif, deux séries de mesures ont été prises. La première : solliciter les deux agences gouvernementales *Fannie Mae* et *Freddy Mac* pour qu'elles refinancent les crédits, autrement dit qu'elles rachètent aux différentes banques les dettes immobilières contractées par les particuliers pour l'achat de leur logement. Cela peut paraître curieux pour des Européens, mais ces agences étaient de droit privé et bénéficiaient pourtant de fait du soutien du gouvernement américain. Cela explique d'ailleurs que le gouvernement et la Banque centrale chinoise aient été les plus gros créanciers de ces deux entités…

Seconde mesure que l'on peut juger après coup lourde de conséquences : s'assurer que les banques ne font pas de discrimination lors de l'octroi de crédits immobiliers. D'où des comptes-rendus très précis à envoyer sur ces sujets aux autorités publiques. La sanction pour les banques pouvait être lourde : interdiction d'ouvrir de nouvelles agences ou impossibilité de fusionner avec un autre établissement. **C'est donc sous une contrainte forte que, à l'origine, les banques ont**

octroyé des crédits y compris à des ménages plus modestes.

Une fois la mécanique lancée, celle-ci s'est emballée et elle est devenue incontrôlable. Des courtiers peu scrupuleux se sont substitués aux banques pour proposer des prêts attractifs mais très risqués pour l'emprunteur. Et les banques d'investissement se sont précipitées pour les titriser, c'est-à-dire les transformer en produits de marché pour satisfaire la demande émanant des pays à fort taux d'épargne.

Ce sont ces ménages modestes, on s'en souvient, qui ont déclenché, à leur corps défendant, le terrible mécanisme de la crise des *subprimes*. Alors qu'ils s'étaient endettés à taux variable avec un apport minimum et un prêt gagé sur le bien même qu'ils achetaient (la maison), ces ménages n'ont pu résister à la hausse des taux d'intérêt. Face à des charges de remboursement intenables, ils n'ont eu d'autre choix que de quitter leur maison. Celle-ci est ensuite mise à la vente par la banque créancière. Cet accroissement de l'offre de biens immobiliers a fait chuter le prix des maisons, et donc leur valeur potentielle, appauvrissant encore les malheureux propriétaires endettés !

Imaginons que les prêts aient été contractés à taux fixes, comme ils le sont majoritairement en France ; imaginons que les ménages les plus fragiles n'aient pu utiliser la garantie hypothécaire pour asseoir leurs emprunts, y compris leurs crédits à la consommation ou rester simples locataires… Tout aurait été différent. Mais on ne refait pas l'Histoire ; tout au plus peut-on s'efforcer d'empêcher qu'elle se répète.

Mais le politique n'est pas le seul responsable. Après la responsabilité gouvernementale, voyons celle de la Banque centrale américaine, la Fed, à la fois dans sa posture globale et dans la conduite de la politique monétaire.

Sa croyance dans les vertus du marché, pratiquement considéré comme un instrument de régulation, était quasi religieuse : le marché fournit le juste prix, l'équilibre entre offre et demande se réalise dans de bonnes conditions. Dans cette perspective, il faut contraindre et réguler le marché le moins possible, toute intervention n'étant jamais qu'un pis-aller.

Au début des années 2000, pour lutter contre les effets néfastes de l'éclatement de la bulle Internet, la Fed a pratiqué une politique de taux d'intérêt bas. Cela permit aux ménages et aux entreprises de s'endetter, d'acheter des produits aux nouvelles économies, les fameuses BRIC : Brésil, Russie, Inde, Chine. Ceux-ci eurent d'ailleurs l'excellente idée de recycler les dollars reçus en contrepartie de leurs exportations aux États-Unis pour refinancer l'endettement américain et assurer ainsi une très grande liquidité sur le marché… et renforcer la faiblesse des taux. La boucle est bouclée !

Ce que la Fed n'a pas vu et encore moins anticipé, c'est la montée du risque. En effet, à mesure que l'endettement s'accroît, les dettes contractées deviennent de fait plus risquées mais sans que le taux d'intérêt, le « prix du risque » monte. Cela se comprend facilement : si vous gagnez 1 500 euros par mois et empruntez 300 euros, cette dette n'aura pas un très grand poids sur vos finances et il y a toutes les chances que vous remboursiez à l'échéance. Si en revanche vous devez payer chaque mois une mensualité de remboursement d'un emprunt (typiquement, un emprunt immobilier) qui équivaut presque à votre salaire, disons 1 000 euros, parce que les taux d'intérêt ont monté et que vous entrez dans la période où il faut rembourser un peu de capital et pas seulement les intérêts, il y a malheureusement de grandes chances que vous soyez dans l'incapacité totale de rembourser votre emprunt.

Tout le système reposait sur l'augmentation régulière du prix des maisons qui créerait de façon automatique une richesse servant de garantie pour la banque, garantie que ne présentait pas, bien sûr, l'emprunteur et qui, de fait, se substituait à lui. Mais le jour où les prix cessent de monter, le rêve américain tourne au drame. Revenons au risque et à la Fed. À mesure que l'endettement des entreprises et des ménages s'accroît, le risque de voir une certaine proportion incapable de rembourser grandit. Or, le rendement d'un actif doit normalement être d'autant plus grand qu'il est risqué (sinon, on préférera des placements moins risqués), l'augmentation du rendement augmente le prix de l'actif (en supposant que le risque est bien mesuré et que son prix est correctement apprécié). Cela crée ce que les économistes nomment un « effet richesse », c'est-à-dire que les possesseurs d'actifs se croient plus riches. En réalité, le risque grandit en silence derrière ces actifs dont le prix augmente. Un jour, le mécanisme s'arrête brutalement : le risque devient trop évident (ou les défaillances de débiteurs se produisent !) et alors la valeur des actifs chute. La Fed a voulu ignorer l'augmentation sourde du risque derrière le boom économique porté par l'endettement. Le réveil a été brutal.

Qu'en est-il de la responsabilité des régulateurs et des superviseurs, c'est-à-dire les organismes qui contrôlent les banques et les compagnies d'assurances ? Eux non plus n'ont rien vu venir, nous le savons. Mais ils ont fait plus et mieux. Ils ont inventé, sans en anticiper les conséquences possibles, de nouveaux systèmes qui se sont révélés autant de transmetteurs voire d'accélérateurs de la crise.

Les fameuses règles « Bâle II[1] », dont le rôle est de permettre aux banques d'appréhender les risques et de mettre en face un niveau de capital qui couvre mieux le risque que le système précédent, ne sont pas à l'origine de la crise financière. Lorsque la crise débute, les banques sont encore sous l'ancien régime dit « Bâle I » même si l'on se prépare activement à la suite. En 2006-2007, le sujet qui concentre l'attention est plutôt le risque de contrepartie, c'est-à-dire le risque que, dans un contrat financier ou dans le cadre d'un instrument financier, le débiteur se refuse à honorer tout ou partie de son engagement ou soit dans l'impossibilité de le faire. Ce risque est directement lié à l'activité de prêteur des banques. Pourtant, c'est le risque de marché (celui qui concerne la valeur des actifs détenus) qui dérapera le premier ! Ce risque de marché était considéré comme correctement appréhendé. Il y avait là une erreur des régulateurs, c'est indéniable, mais la formulation des nouvelles règles (Bâle II) montre tout de même que la chose était en voie de correction. Trop tard, malheureusement.

Juste avant que la crise n'éclate, les modèles d'évaluation du risque, bien qu'en voie de changement, sont encore considérés comme fiables. Europe et États-Unis n'utilisent d'ailleurs pas les

1. Voir ce terme dans le lexique en fin d'ouvrage.

mêmes règles (d'où des distorsions déjà importantes et qui risquent d'ailleurs de s'accroître en fin de crise). Nos confrères américains, pragmatiques, aiment la concurrence quand elle leur profite. Les Français sont plus romantiques et cartésiens à la fois : ils ont pour le marché le regard des nouveaux convertis et poussent volontiers la logique jusqu'à son terme. Cela ne serait pas gênant si les systèmes économiques étaient parfaits. Mais comme ils ne le sont pas, il arrive qu'on finisse par s'aventurer sur le terrain de la logique de l'absurde. Les mathématiques sont toujours justes dans le cadre strict et nécessairement réducteur qu'elles ont scrupuleusement défini. De là à en faire un dogme, un économiste, même avec une formation d'économétrie, prend ses distances et demande au simple « bon sens » de revenir sur le terrain de jeu.

Autre bel exemple de logique américaine : le ratio d'endettement. C'est, on le sait, le rapport entre le capital et les risques pris par une banque. Un esprit logique considérera naturellement que fixer un tel ratio est une bonne façon de limiter, de contrôler le niveau de risque pris par les banques. Deux problèmes se posent néanmoins.

Le premier problème est que de nombreux risques sont « hors bilan », c'est-à-dire non comptabilisés directement, et donc hors champ, limitant ainsi la portée de l'indicateur. Les banquiers appellent aujourd'hui ces opérations « la banque de l'ombre » (shadow banking), pour bien montrer que ces risques ne se voyaient pas au premier coup d'œil.

La deuxième caractéristique de cet indicateur est qu'il envisage de la même façon un crédit immobilier destiné à financer, par exemple, un appartement situé dans un bel arrondissement de Paris et garanti par hypothèque et un crédit *subprime*. Si la valeur du premier bien est relativement certaine car le marché parisien est stable (il y a peu de chance que le prix d'un appartement parisien chute de 40 %), celle du second (mettons, une maison dans une ville américaine de l'Arizona) sera très fluctuante parce que l'on a beaucoup trop construit dans cette région et que, dès que la valeur de la maison baisse, l'emprunteur américain déménage et laisse la banque se débrouiller avec le problème. Celle-ci vend alors la maison dont le prix a baissé. Et ce prix, avec d'autres, va servir de référence pour définir la valeur des actifs que détiennent les banques du monde entier. On aura donc deux crédits immobiliers n'ayant en pratique pas du tout les mêmes risques, mais qui apparaîtront identiques du point de vue du ratio d'endettement !

Le comble est que ce fameux ratio d'endettement (*leverage ratio*) est mentionné dans le communiqué du G20 de Londres comme devant désormais s'étendre à toute la planète. Le gouvernement français est le seul parmi les 20 qui se soit opposé à cette mesure, d'où désormais une certaine prudence dans la préparation de la mise en pratique [1].

La situation est-elle clarifiée aujourd'hui ? On peut craindre que non. Les règles dites de Bâle II se sont largement appliquées à partir de 2008. Elles prennent en compte le niveau de risque de contrepartie à partir d'une mesure précise de celui-ci. Mais le problème est que Bâle II, alors que le président de la Fed de New York a activement participé à sa mise au point, n'est toujours pas utilisé… par les banques américaines elles-mêmes ! On ne sait d'ailleurs si elles le feront un jour. Même Tim Geithner, le ministre du Trésor du président Obama, n'a pas l'air pressé puisqu'il n'en parle même pas dans le document préparatoire à la réunion du G20 de Pittsburgh.

Continuons notre tour d'horizon des responsabilités. Les régulateurs de l'assurance ne sont pas en reste. Ils n'ont pas anticipé la défaillance des *monolines* évoquée plus haut. D'ailleurs, avaient-ils une idée de ce que ces acteurs prenaient comme risque ? Probablement pas.

---

1. Communiqué de la Banque des Règlements Internationaux. Réunion des Gouverneurs de Banque Centrale le 6 septembre 2009 à Bâle.

Et il y a le cas AIG, la plus grande compagnie d'assurances mondiale considérée aussi parmi les plus solides. On découvre subitement que le bel édifice est un château de sable. Le risque systémique est d'une ampleur telle que la Fed (et non pas comme on aurait pu le penser le contrôleur des assurances placé subitement sur la liste des abonnés absents) doit opérer un sauvetage à chaud pour éviter que ne se développe une nouvelle phase aiguë de la crise. La Fed a bien tenté de limiter la prise en charge des dettes d'AIG par un petit chantage amical, notamment sur les banques européennes. Mais au final, et après diverses pressions diplomatiques et quelques petites négociations, elle a dû se rendre à l'évidence. Ne pas honorer ses engagements, c'était porter gravement atteinte à la signature des États-Unis sur les marchés. Trop risqué pour être tenté. Même les Chinois, grands détenteurs de la dette américaine, n'auraient pas apprécié.

Autre responsabilité : celle qui résulte du jeu conjugué des règles prudentielles et des normes comptables. Dénonçons l'autisme de l'IASB [1] qui a constamment refusé de prendre en compte la spécificité des banques et des actifs bancaires.

1. *International Accounting Standards Board*, ou Bureau des standards comptables internationaux, l'organisme qui édicte les règles comptables internationales.

Soulignons l'erreur de la Commission européenne qui a abandonné tous ses pouvoirs à l'IASB et n'a pas aujourd'hui la capacité ou la volonté politique de les récupérer.

N'oublions pas les agences de notation. Elles donnent des notes, c'est-à-dire qu'elles portent un jugement sur la solidité des opérations qui leur étaient présentées par des entreprises qui étaient aussi leurs clientes. Elles étaient prises dans des conflits d'intérêt qu'elles ont obstinément niés ! Rien d'étonnant alors à ce que la neutralité des notations, à tort ou à raison, ait pu être grandement mise en doute. Quelle qu'en soit la cause, les agences, c'est un fait, ont aussi mal « évalué » le risque et ont ensuite tenté de se rattraper en révisant en cascade les notes à la baisse, augmentant ainsi brutalement le niveau d'inquiétude des acteurs financiers.

Et les banquiers dans tout ça ? Ils sont aussi responsables, nous ne le nions pas. Produits trop complexes, peu transparents, prise de risque exclusivement guidée par le profit à court terme, etc. Oui, tout cela est vrai. La crise financière a montré les graves défaillances du système. Le temps est venu de tirer les enseignements de cette période et d'engager une nécessaire reconstruction.

Pour aller plus loin – spécificité des modèles bancaires nationaux et impact de la crise

La crise de 2007/2008 est la première crise de la titrisation, des produits dérivés et des produits structurés. L'usage plus ou moins intensif de ces différentes innovations financières permet de comprendre pourquoi et comment une banque a été touchée par la crise. On peut analyser de la même façon le système bancaire d'un pays dont la résilience est directement liée à l'existence et au nombre de maillons bancaires faibles ainsi qu'à l'intensité de leur interdépendance, notamment par l'intermédiaire du marché monétaire et du marché des dérivés.

Il est de fait que les systèmes les plus touchés sont ceux dans lesquels le recours à la titrisation a été le plus développé, notamment lorsque celle-ci incluait des actifs identifiés comme à risque et donc à prix très incertain. Par ailleurs, comme la plupart des banques réalisent environ 50 % de leurs opérations sur leur marché domestique, les caractéristiques de celui-ci jouent un grand rôle dans l'explication de la résistance à la crise.

C'est donc par un croisement entre un critère fondé sur le niveau d'implication dans les nouvelles innovations financières et un critère lié aux spécificités de leur marché national que l'on peut créer une grille d'analyse de l'exposition des différents systèmes bancaires à la crise.

Aussi, après une analyse plus globale de ces systèmes, ferons-nous une application au cas particulier du système bancaire français qui figure aujourd'hui dans la crise financière parmi les plus résistants.

Les systèmes bancaires face à la crise

Il n'y a pas égalité devant la crise. Le dérèglement des systèmes bancaires est, en premier lieu, lié à l'intensité de l'utilisation de la titrisation.

Nous nous sommes livrés à une analyse comparative des systèmes bancaires [1]. Le soutien apporté par les États à leur système bancaire tant en volume qu'en considérant ses caractéristiques donne une bonne indication de l'impact de la crise et indirectement de la caractéristique des modèles.

Une analyse multicritères permet de mettre en évidence **le lien entre intensité de la crise et niveau d'endettement de l'économie**, traduisant ainsi l'exposition du système bancaire.

Cette analyse est corroborée par une étude récente de la Banque centrale européenne [2] qui met en évidence qu'une croissance des crédits en décalage par rapport aux variables économiques constitue un bon indicateur de prévision de crise.

---

1. Cette étude a été réalisée avec le concours de Remy Contamin et Armelle Sarda de la Direction des Études Économiques de Crédit agricole S.A.

2. Lucia Alessi et Carsten Detken, Global Liquidity as an early warning indicator for asset price boum/bust cycles, European Central Bank. *Research Bulletin* n° 8, March 2009, pp. 7-9.

Les ratios Crédit /PIB des États-Unis et du Royaume-Uni se détachent nettement. **En revanche le niveau de concentration des différents systèmes n'apparaît pas comme une variable discriminante.**

Le niveau des fonds propres réels est aussi un critère majeur. Les différences de méthode rendent malheureusement les comparaisons internationales difficiles.

Si l'on ne se borne pas à une analyse statique et si l'on examine la rentabilité des systèmes suivant les pays, il ressort que **les banques françaises ont une rentabilité de l'ordre de 15 % comparable à celle des banques cotées allemandes ou britanniques et un peu inférieure à celles des mêmes banques aux États-Unis.** Les différences sont en revanche beaucoup plus nettes si l'on considère non plus les entités cotées mais cette fois l'ensemble du système bancaire. Alors qu'il n'y a que très peu d'écart en France, celui-ci est significatif en Allemagne en raison de la sous-performance des *Landesbanken* et globalement de la très faible rentabilité de la banque de détail dans ce pays.

La rentabilité globale du système britannique est plus surprenante. Elle s'explique par la situation des établissements spécialisés.

Aux États-Unis, l'éparpillement du système et sa fragilité aujourd'hui manifeste mais antérieure à la crise est l'explication des faibles résultats observés.

Spécificités du modèle français

Quelles sont les spécificités du modèle bancaire français [1] ? La banque française a développé au fil du temps un modèle spécifique que l'on range habituellement dans la catégorie « banque universelle ». Si ce type de classement a le mérite d'aider à la comparaison d'objets par nature très spécifiques, il a aussi pour limite de gommer les caractères distinctifs du modèle français qui expliquent sa résilience en période de crise.

Les principaux groupes bancaires français présentent les traits caractéristiques suivants.

1) **Le poids de la banque de détail dans leur produit net bancaire ou leur résultat est sensiblement supérieur à la moyenne mondiale** qui serait de 57 % selon une étude de Boston Consulting Group.

Certains groupes espagnols ou italiens sont plus orientés *retail* que la moyenne des banques françaises mais leur modèle est moins diversifié et donc plus simple en termes d'organisation ou de management.

Il y a donc une différence en termes de profil de risque mais aussi une sensibilité, une réactivité aux différents types de conjoncture économique très différenciée. La banque française peut en effet, sans

1. Une synthèse de ce développement a été publiée dans la revue *The Banker* sous le titre : « Banks : Is there a French model ? » Janvier 2009. Cette analyse a été complétée par une présentation lors de la conférence Retail Banking in Europe, Londres/30 & 31 mars 2009. Back to basis : the shape of the European Banking Model.

doute mieux que d'autres, capter les opportunités qui se présentent sur un grand nombre de marchés.

2) **La banque française a développé, plus que d'autres, des compétences distinctives en matière d'*asset-management*, d'assurance et de crédit à la consommation.**

Ces compétences reposent bien évidemment sur une très bonne maîtrise de chacun des métiers qui est visible au travers des performances et des classements internationaux de chacune des sociétés spécialisées.

Mais ces compétences viennent aussi et peut-être surtout du fait que la commercialisation par les réseaux de banque de détail, souvent à l'origine de ces compagnies, a transformé le modèle en créant (puisque cela s'est passé au sein de chacun des Groupes) un mode de relation profond, rigoureux et de longue période entre producteur et distributeurs (où la banque possède l'*asset-manager*).

Dans le même temps, la contribution des réseaux « propriétaires » donne au modèle plus de stabilité en période de ralentissement, et permet, dans les périodes de développement, de contribuer au financement de la croissance.

Tous les groupes n'ont pas développé les modèles dans les mêmes conditions.

Si la démarche des groupes bancaires français est très proche dans le domaine de l'*asset management*, elle est en revanche plus différenciée pour le crédit à la consommation et surtout l'assurance.

On peut dater l'explosion de la commercialisation des fonds des *asset managers* au début des années 1980 lorsque les fonds monétaires ont bénéficié, pendant un temps, d'une fiscalité favorable.

Les réseaux se sont donc progressivement familiarisés avec ce type de produits, les échanges entre directions de réseaux et *asset managers* se sont intensifiés, les directions des groupes ont encouragé ce mouvement qui correspondait à une réelle demande des clients, qui permettait aussi de rentabiliser des réseaux dont la structure de coût était rigide, et évitait, comme dans d'autres pays, l'émergence de réseaux spécialisés.

Il en est résulté une véritable industrie de la gestion collective en France, dont le savoir-faire sur les produits de taux est internationalement reconnu et qui a permis le développement, dans une étape ultérieure, des fonds garantis qui s'appuient aussi sur les savoir-faire développés dans le domaine des dérivés.

Le schéma utilisé par les groupes français dans le crédit à la consommation participe de logiques différentes.

Les réseaux de banque de détail apportent une contribution inégale : forte dans les organisations centralisées comme BNPP, Société générale, ou LCL ; elle est moins marquée dans les réseaux décentralisés comme le Crédit agricole, le Crédit mutuel ou les Banques populaires. Cette activité est en effet considérée par certaines banques régionales comme faisant partie de leur cœur de métier et elles hésitent donc à la sous-traiter en tout ou partie. La tendance récente est toutefois à un transfert de ces activités chez des acteurs spécialisés qui sont en outre les leaders européens : BNPP et Crédit agricole occupent en effet une position de n° 1 et 2 sur ces marchés.

La voie suivie dans le développement de l'assurance au sein de la banque est encore différente suivant les groupes. Les deux leaders dans la bancassurance ont suivi la même voie : création ex-nihilo d'une compagnie de façon à assurer une parfaite adéquation entre les produits assurance, les attentes des clients et les savoir-faire de distribution de la banque.

Sous l'effet de l'explosion du marché de l'assurance-vie puis de la pleine réussite du lancement de l'assurance dommages, le Crédit agricole peut ainsi occuper la place de n° 2 de l'assurance en France.

Si toutes les banques n'ont pas manifesté le même dynamisme dans le domaine de l'assurance-vie, elles se sont toutes impliquées dans cette activité et, parfois après une période d'observation, elles se sont dotées de leur propre compagnie.

Les positions sont encore plus tranchées dans le domaine de l'assurance dommages. Les banques coopératives ont confirmé le choix fait dans l'assurance-vie et ont lancé leur propre filiale. Les autres grandes banques ont, le plus souvent, fait le choix d'un partenariat avec un assureur.

Le premier modèle, plus intégré, paraît le plus efficace, sans doute parce que plus proche des réseaux. Au total, les banques françaises détiennent 60 % du marché de l'assurance-vie et 10 % du marché de l'assurance dommages.

Ces expériences ont connu des extensions internationales par l'intermédiaire de Cardiff pour BNPP et de Crédit agricole Assurances pour le Crédit agricole.

Le transfert de savoir-faire est manifeste dans le domaine de l'assurance emprunteurs, comme dans celui de l'assurance-vie, il est en train de se confirmer dans l'assurance dommages du fait de l'action du Crédit agricole au Portugal et en Italie.

3) La troisième caractéristique du modèle de banque universelle développée en France est **le fait de disposer d'une banque de financement et d'investissement de taille internationale qui semble avoir mieux résisté que d'autres à la crise financière.** Il est peut-être prématuré et à certains égards risqué de tirer des conclusions avant que les prémices de fin de crise n'apparaissent, mais les données sont déjà parlantes.

Bien que les grandes banques françaises figurent parmi les dix premières dans un très grand nombre de classements internationaux, **le choc de la crise financière a été moins marqué que pour d'autres acteurs même si le montant des dépréciations a pu, sur telle ou telle activité, être important.** La résistance du modèle tient à deux facteurs : une assez grande diversification des activités et des savoir-faire bien identifiés dans certains domaines. Une bonne maîtrise d'un métier ne préserve pas de façon absolue, comme on l'a vu, un établissement des conséquences d'une crise que chacun juge sans précédent. Mais les effets en ont été atténués, et surtout les conséquences plus vite tirées, que si l'on ne dispose pas des savoir-faire qui permettent de s'adapter avec la plus grande rapidité.

Le poids de la BFI [1] par rapport à l'ensemble des autres activités est de l'ordre de 30 % pour les principaux groupes. Souvent la banque de financement occupe une position majeure dans cet ensemble ; ce qui a un effet stabilisant manifeste. Chaque groupe peut avoir ensuite des domaines de spécialités dans les activités de marché mais l'ensemble reste très équilibré, y compris lorsque l'on considère l'origine géographique des réseaux.

1. Banque de Financement et d'Investissement.

3.

« Les banques ont profité de la crise et ont été sauvées avec notre argent »

Les faits que l'on oublie : *« J'ai mobilisé potentiellement 320 milliards d'euros pour aider les banques, nous en avons utilisé 25 milliards [...] à la fin de l'année 2009, l'argent que nous avons prêté aux banques pour qu'elles fassent leur métier rapportera au budget de l'État 1,4 milliard d'euros d'intérêts que j'utiliserai intégralement pour financer des mesures sociales. »*

Nicolas Sarkozy. Jeudi 5 février 2009.

« Le plan de sauvetage a donné 320 milliards d'euros aux banques »

De tous les reproches adressés aux banques depuis la crise, le plus vif concerne le fameux plan de sauvetage dont elles ont fait l'objet.

Voilà, dit-on, un État qui n'a de cesse d'expliquer que les caisses sont vides, qu'il faut que chacun fasse des efforts, et qui, du jour au lendemain, est capable de « mettre » des milliards d'euros sur la table pour aider les banques !

Voilà des banques dont les profits n'ont rien à envier à ceux de Total, et qui obtiennent sans coup férir plus d'argent que l'Éducation nationale n'en consomme en un an !

En réalité, ces idées reçues sont de grossières erreurs. Il est regrettable qu'elles aient été aussi largement relayées. L'honnêteté intellectuelle aurait dû les obliger à expliquer plus clairement les faits, qui n'ont rien de scandaleux.

Nous allons voir qu'en aucun cas des milliards n'ont été donnés aux banques ; qu'en aucun cas celles-ci n'ont « profité » de la crise ; qu'en aucun cas il ne s'est agi de conforter quelques privilégiés, mais plutôt d'empêcher que la crise ne touche plus durement l'ensemble de l'économie et donc les plus modestes.

La crise de 2008 n'est pas la première que traverse le capitalisme. Elle rajoute une ligne, certes importante, à une liste déjà très longue de récessions expérimentées depuis le XIXe siècle. Toutes les crises ont coûté cher à la collectivité. Dans les années 1990, le Japon a essuyé une très sévère crise immobilière. Pour y remédier, le gouvernement de ce pays a lancé pas moins de douze plans successifs. Montant total de l'addition : 1 027 milliards d'euros. La conséquence a été un endettement record de l'État : la dette s'élevait à 178 % du produit intérieur brut (PIB). Le plan de sauvetage français apparaît bien modeste en comparaison. Il faut en effet savoir que la somme totale du bilan des banques françaises équivaut à plus de trois fois et demie le PIB national !

Quel est le problème des banques au moment du plan de sauvetage ? De façon très schématique, disons que les banques se retrouvent avec dans leurs bilans (autrement dit leurs actifs, ce qu'elles possèdent) des montants élevés, quoique assez difficiles à évaluer, d'actifs sur lesquels un doute très sérieux plane. Beaucoup d'actifs sont en effet liés plus ou moins directement à des actifs *subprimes*, c'est-à-dire à des créances qui ont de très grandes chances de ne jamais être payées ! La valeur désormais comptabilisée pour ces actifs est donc bien inférieure au prix d'origine, et ce sont tout à coup des milliards d'euros qui fondent comme neige au soleil.

En quoi cela doit-il concerner l'État, direz-vous ? Les banquiers ne sont-ils pas, comme tout entrepreneur, soumis à des risques ? Au nom de quoi l'État viendrait-il les sauver ? La question n'est pas si simple. Cet appauvrissement soudain est un problème pour la solidité des banques, mais surtout les oblige à arrêter presque totalement leur activité : l'octroi de crédit, puisqu'elles n'ont plus assez de capital, donc de garanties.

Or le crédit est tout simplement essentiel à l'activité économique. Il est l'oxygène qui irrigue les poumons de l'économie ; sans lui, elle étouffe et meurt. Le problème n'est donc pas du tout de préserver le confort et la sécurité de quelques banquiers réfugiés dans leurs tours de verre, mais bien d'éviter un effondrement majeur du système économique et donc de l'emploi. Nous l'avons rappelé au début de ce livre, le métier de banquier n'est pas un métier comme un autre, car il est chargé d'une tâche « d'intérêt public », celle de jouer les intermédiaires dans les échanges financiers et de continuer à financer l'économie, donc la croissance et l'emploi.

En quoi consiste exactement le plan de sauvetage ?

Avant de répondre à cette question, commençons par rappeler quelles étaient les différentes possibilités envisageables : le rachat des actifs douteux des établissements financiers, la recapitalisation des banques, les garanties sur les prêts interbancaires.

Première possibilité : l'État récupère les actifs douteux dont personne ne veut et qui affaiblissent le bilan des banques, en échange de liquidités. L'espoir (bien mince) est de parvenir à les revendre par la suite... C'est la solution préférée par les Américains mais qu'ils n'ont jamais pu réellement mettre en pratique.

Deuxième solution : prendre des participations dans une banque en lui versant des liquidités pour qu'elle puisse reprendre son activité normale. Dans ce cas, l'État devient propriétaire, majoritaire ou non, des banques. Cette prise de contrôle se veut, théoriquement, temporaire. L'idée est que, une fois la crise passée et l'activité repartie, l'État puisse revendre ses participations. Au passage, il pourrait même empocher une bonne plus-value ! C'est la solution préférée de l'Europe.

Troisième possibilité : l'État se porte garant des prêts entre banques [1] afin de leur rendre confiance et de rouvrir le robinet du crédit. Un peu comme des parents se portent caution pour leur fils qui veut louer un studio : cette caution rassure le propriétaire qui est sûr que, quoi qu'il arrive, il percevra ses loyers. Grand avantage de ce dispositif par rapport aux deux autres : il ne coûte rien tant qu'aucun des emprunteurs ne fait défaut ! C'est la solution préconisée par les Britanniques et l'Irlande.

---

1. Dans l'exercice de leur activité de crédit, les banques sont amenées à se prêter sans cesse entre elles. Au moment de la crise, ces prêts interbancaires s'étaient arrêtés car chaque banque craignait que l'autre ne fasse faillite et ne l'entraîne avec elle.

Qu'a fait la France en octobre 2008 ? Une sorte de panaché de deux volets.

Le premier est une enveloppe de 40 milliards d'euros destinée à d'éventuelles recapitalisations (correspondant à la deuxième solution). Dans ce cas, l'État apporte le capital qui manque pour être autorisé à faire de nouveaux prêts. Pour pouvoir faire 100 euros de crédits, il faut en effet, d'après les règlements internationaux, 8 euros de fonds propres.

Le second volet consiste à créer une Société de refinancement des banques présidée par Michel Camdessus (ex-Directeur général du Fonds monétaire international) dont l'État est actionnaire à hauteur de 34 %, ce qui lui donne une minorité de blocage. Les 66 % restants sont détenus par les banques.

Concrètement, les banques se font prêter du liquide par cette société en échange d'une « mise en gage » de leurs bons actifs (il ne s'agit pas de prendre à nouveau appui sur des actifs pourris). Un peu comme on peut obtenir de l'argent au Mont-de-piété en échange d'un objet que l'on ne pourra récupérer que si l'on est capable de rembourser le prêt. L'État a annoncé qu'il accepterait de se porter garant jusqu'à un montant (tout à fait hypothétique) de 320 milliards d'euros.

Il est important d'insister sur le fait que cela ne signifie absolument pas que l'État a déboursé cette somme. Il s'engage juste à le faire en cas de besoin, mais précisément ce besoin ne s'est jusqu'à présent pas fait sentir et il y a de très fortes chances pour que l'État ne soit jamais appelé à honorer sa garantie. Il s'agissait surtout de redonner confiance aux banques elles-mêmes et plus généralement aux marchés afin qu'elles recommencent à prêter aux entreprises et aux particuliers. D'ailleurs ce montant de 320 milliards correspondait à la totalité des besoins de financement des banques françaises jusqu'à la fin de 2009. Le signal donné était que l'État apportait toute la sécurité nécessaire aux opérateurs des marchés qui avaient de l'argent disponible et étaient incités ainsi à le remettre dans le circuit.

Notons que les plans mis en œuvre par les autres pays (notamment ceux de la zone euro) sont tout à fait comparables au plan français. Celui-ci ne représente donc pas une exception. On peut même dire qu'il a souvent servi de modèle.

On ne peut cependant pas se voiler la face : le plan dit de sauvetage des banques, associé au plan de relance de l'économie annoncé début 2009, a, lui, un impact sur le niveau d'endettement de l'État. Alors que le montant de la dette française était autour des 60 % du PIB en 2008, il devrait atteindre 73,9 % en 2009, et, selon certains prévisionnistes, 78 % en 2010-2011. Mais c'est bien le plan de relance qui est responsable de la majeure partie de cette aggravation de la dette. Dans ce cas-là en effet, il s'agit réellement d'argent frais : 26 milliards seront ainsi dépensés, dont 75 % dès la première année d'application du plan. Par ailleurs, et indépendamment des 26 milliards, les banques ont reçu de l'État sous forme d'actions ou de prêts dits subordonnés (appelés ainsi parce qu'ils sont remboursés en dernier juste avant le capital si la banque fait faillite) quelque 17 milliards pour renforcer leurs fonds propres. Mais il ne s'agit pas d'un don mais d'un prêt direct. Les banques versent un intérêt de 8 %. Certains médias et quelques politiques ont parlé de « cadeau » ou de « don » fait aux banques. Personne ne confond habituellement un don et un emprunt. Quant au cadeau : faire payer 8 % aux banques quant l'État emprunte à 3 %, c'est-à-dire dégager une marge de 5 %, c'est faire du commerce et pas de la charité.

« Le plan de relance de l'économie, le sauvetage des banques – tout cela ne sert à rien. C'est de la poudre aux yeux. »

Il s'agit en fait d'un double pari.

Tout d'abord, le pari de la détente sur le marché des liquidités, autrement dit le fait que les banques vont se remettre à prêter. Dans un second temps, l'État espère que l'opération ne soit *in fine* pas trop négative pour les finances publiques. Comment cela ? L'État espère que ses dépenses vont pouvoir relancer la croissance économique. Or, plus de croissance signifie plus de rentrées fiscales ensuite (par l'impôt sur les sociétés, l'impôt sur le revenu et la TVA essentiellement). En s'endettant, l'État espère transformer le cercle vicieux de la contraction de l'activité (réduction des recettes fiscales et aggravation des déficits) en cercle vertueux de la croissance (hausse des recettes et résorption des déficits).

La franchise nous oblige à signaler que le plan pourrait bien avoir une invitée surprise non désirée : l'inflation.

L'inflation, on le sait, est le nom que l'on donne à une hausse générale et cumulative des prix. Celle-ci a des conséquences économiques intéressantes : elle réalise un appauvrissement du créancier au profit du débiteur. En effet, la hausse des prix déprécie la valeur nominale d'une monnaie : en clair, 1 000 euros valent « moins » en termes de pouvoir d'achat. Si j'ai emprunté cette somme avant l'inflation et que je la rembourse après, je suis donc gagnant ! Ma dette se déprécie, alors que, mes revenus étant généralement indexés sur l'inflation, ils restent équivalents en termes réels. En revanche, si j'ai prêté 1 000 euros avant l'inflation, les 1 000 euros remboursés après vaudront moins en terme nominal... L'épargnant perd en pouvoir d'achat. Mais comme, en général, il est plutôt âgé, certains décideurs et même quelques économistes pensent qu'il n'est pas très grave que les héritiers touchent moins que ce qu'ils espéraient.

Un État très endetté est comme tout débiteur : il aimerait bien que sa dette s'allège miraculeusement… L'inflation est ainsi une solution formidable, d'autant plus qu'elle correspond à une augmentation d'impôts subreptice[1]. Historiquement, l'inflation a très souvent suivi une situation d'endettement grave des États. C'est ce qu'avait fait la Grande-Bretagne après la guerre pour réduire sa dette qui s'élevait tout de même à 300 % du PIB.

Cela sera-t-il le cas avec la crise financière ? Probablement pas, pour une bonne raison : comme nous l'avons rappelé, la politique monétaire est désormais entre les mains de la seule Banque centrale européenne. Or cette dernière a un but principal inscrit dans ses statuts : lutter contre l'inflation. La Réserve fédérale américaine est dans le même état d'esprit. Donc, sauf surprise, pas d'inflation importante en vue. Et ceci est

1. On dit souvent que l'inflation est un « impôt non voté ». En effet, alors que les seuils marquant le passage d'une tranche fiscale d'imposition à une autre restent les mêmes, la hausse générale des prix et des salaires fait que, tout en gardant le même pouvoir d'achat, de plus en plus de personnes franchissent les seuils et sont donc plus lourdement imposées.

d'autant plus important que la dette publique est cotée à tout moment. Au premier signe de remontée de l'inflation, les marchés anticiperont la réaction de la Banque centrale. On peut même imaginer qu'ils l'inciteront à réagir un peu plus vite qu'elle ne pourrait le souhaiter.

4.

« Les marchés financiers ne fonctionnent pas »

Les faits que l'on oublie : Depuis la fin de la Seconde Guerre mondiale, le développement de l'économie n'a pu se faire que grâce à celui des marchés financiers. Sans eux, pas de prospérité économique possible.

Le volume quotidien des transactions sur les **marchés des changes** atteint 3 210 milliards de dollars à avril 2007. À la bourse de New York, il s'échange chaque jour des actions pour un montant total d'environ 64 milliards de dollars. Tout cet argent sert à financer les gigantesques besoins en investissement des entreprises qui vivent et se développent. Grâce aux marchés financiers, ces besoins sont satisfaits et permettent l'existence d'entreprises qui fournissent produits, emplois et salaires à l'économie.

« Les marchés financiers sont des marchés comme les autres »

S'il y a bien une idée rebattue depuis le début de la crise, c'est celle de l'absence d'efficacité des marchés et de leur imprévisible folie. Comment, en effet, expliquer cette crise autrement que par la défaillance d'un mécanisme dont les libéraux vantent pourtant la perfection ? Cette notion de marché qui nous est si familière ne doit-elle pas d'ailleurs être réexaminée à la lumière de la crise que nous venons de vivre ? Sinon comment expliquer une volatilité aussi forte ou parfois une interruption aussi brutale des échanges ?

Nous allons voir que les reproches adressés aux marchés financiers ne sont que partiellement justifiés. Autrement dit, si les marchés financiers peuvent parfois perdre de vue la réalité, le retour à la réalité s'effectue toujours, un jour ou l'autre. La vérité, c'est que les marchés financiers sont, à bien des égards, simplement différents des autres : les acteurs de la finance, le mécanisme de fixation des prix des actifs et enfin le retour à des conditions d'équilibre sont autant d'éléments qui les distinguent des autres.

Qu'il soit physique (le marché de Rungis par exemple, où vous pouvez voir, sentir et tâter la marchandise) ou virtuel (comme le marché des certificats de CO_2), un marché est toujours fondamentalement la rencontre d'une offre et d'une demande.

La vocation d'un marché est d'organiser de façon efficace les échanges et d'assurer que le prix du bien échangé est pertinent.

Mais un actif financier n'est pas un actif comme les autres. Pourquoi cela ? Essayons de développer ce point.

Commençons par rappeler que le but même du marché financier se distingue nettement de celui des autres. Il ne s'agit pas d'échanger un bien, mais de se procurer un gain pécuniaire à venir.

Comme le rappelle H. Bourguinat[1], *« un actif financier quel qu'il soit est une espérance de gain futur »*. Autrement dit, il n'est pas détenu pour lui-même, mais pour ce qu'il va (peut-être) permettre de gagner à terme. C'est donc en vue de ce gain que l'on détient l'actif.

Tout le problème est alors de déterminer la valeur – autrement dit le prix – de cet actif. Un bien qui vaut par lui-même (comme le pain que l'on consomme, la voiture que l'on peut revendre, etc.) a un prix assez facile à définir en fonction de la décote que sa consommation peut lui avoir fait subir. Mais pour un bien dont on attend un hypothétique gain futur, la fixation du prix est chose

1. H. Bourguinat et E. Briys, *L'arrogance de la finance*, Éditions La Découverte, 2009.

beaucoup plus compliquée. Pour Pierre-Noël Giraud *« un titre financier n'est jamais qu'une promesse de revenus futurs. La caractéristique fondamentale d'un titre est que son prix résulte uniquement d'anticipations sur ce que sera l'avenir du sous-jacent, c'est-à-dire de l'acteur qui a émis la promesse de revenus futurs*[1] ». En politique, on sait que les promesses n'engagent que ceux qui y croient… En finance, les promesses ne sont pas toujours moins incertaines. Il arrive que des actifs au formidable rendement annoncé se réduisent à peau de chagrin sous le regard attristé de l'investisseur ! C'est bien la preuve que les anticipations jouent ici un rôle décisif : celles du détenteur de tel actif financier qui essaie de convaincre les autres, et les autres qui ne croient pas, ou un peu, ou beaucoup, ou à la folie !

On entend souvent dire de plus que les marchés financiers sont des mécaniques froides, fonctionnant sans qu'à aucun moment n'intervienne la dimension humaine. C'est donc tout à fait inexact.

À partir des années 1980, des sociologues américains considèrent le marché comme un réseau. L'illustration la plus fréquemment utilisée

1. P.N. Giraud, « Les crises de la finance globale de marché : imprévisibles, nécessaires, inéquitables », dans *Repenser la planète finance*, Le Cercle Turgot, Les Échos et Eyrolles Éd. Organisation, Paris, Mars 2009, p. 75.

est celle du marché du travail [1]. Ils observent que l'essentiel des contrats se nouent hors marché par l'intermédiaire de relations interpersonnelles, et que seul un nombre limité de transactions transitent par un marché organisé.

Appliquée au cas des marchés financiers, cette analyse montre bien qu'il ne faut pas réduire le marché à une sorte de mécanique froide mais qu'il faut, au contraire, tenir compte de la richesse et de la densité des relations qui se créent entre opérateurs pour l'appréhender dans toute sa dimension et sa complexité.

Cette façon de voir permet aussi de mieux comprendre pourquoi, après les secousses de 2007 et 2008, les marchés ont tant de mal à se reconstituer et que le fait de les relancer prend beaucoup plus de temps qu'on ne le pense. Il faut, en effet, reconstituer des réseaux, certains acteurs ayant disparu, les process ayant été modifiés pour tenir compte de la crise. Il y a donc une nouvelle période d'apprentissage, de rodage des circuits qui permet à chacun des acteurs de reprendre progressivement confiance.

Les marchés financiers sont également différents des autres marchés en raison des caractéristiques des principaux acteurs. Ceux-ci sont au

---

1. Mark Granovetter, *Le marché autrement*, Desclée de Brouwer Éditions, Paris, 2005.

final assez peu nombreux, car il existe une barrière à l'entrée. Elle est d'ordre réglementaire ou financier sur les marchés organisés. Il existe aussi une barrière de compétence, de savoir-faire, le montant des investissements à réaliser est élevé. Certes, les acteurs sont plus nombreux lorsque l'on traite de produits dits « vanille » comme disent les traders, largement répandus, mais ils sont très réduits lorsqu'il s'agit de produits complexes. Dans ce cas, il peut même n'y en avoir qu'une vingtaine dans le monde ! Il ne faut pas beaucoup de temps pour qu'ils changent d'avis et modifient ainsi brutalement l'équilibre entre l'offre et la demande. Ces marchés, à certains moments, fonctionnent aussi comme des oligopoles.

En outre, ces acteurs sont, pour leur très grande majorité, des professionnels soutenus dans la plupart des cas par des groupes bancaires ou financés par eux lorsqu'il s'agit de *hedge funds*.

C'est donc un univers complètement différent de celui des marchés auxquels s'adressent les entreprises industrielles et commerciales.

Mais cette différence va plus loin encore. Il est fréquent que les acteurs des marchés financiers aient clairement un comportement procyclique. Ils poussent, par leurs achats, c'est-à-dire pour l'idée (positive) qu'ils se font du futur à la hausse du prix des actifs en période de croissance et ont, au contraire, un comportement qui accentue la baisse du prix des actifs en période de dépression économique.

« C'est parce qu'il n'y avait pas assez de normes comptables qu'il y a eu la crise ; il suffit d'en rajouter »

Erreur ! Les comptables en ont fait trop. Et, en plus, ils se sont trompés de route.

Outre le comportement procyclique de nombreux acteurs, la crise actuelle a montré combien les normes comptables pouvaient être des éléments ajoutant encore à la dégradation des marchés puis de l'économie.

Le choix de la « juste valeur » (*fair-value*) systématisée est en particulier lourd de conséquences.

Rappelons quel en est le principe. Pour comptabiliser un bien, il existe *grosso modo* deux solutions. La première est de retenir le coût historique, c'est-à-dire le montant payé pour acquérir ce bien. La deuxième solution est d'essayer d'être (théoriquement) plus proche de la réalité en évaluant le prix auquel le bien pourrait être vendu à l'instant de référence. C'est la *fair-value.* Cette dernière paraît en effet à première vue plus intelligente, dans la mesure où un bien n'a de valeur que par rapport au prix qu'on peut en tirer sur un marché, c'est-à-dire au montant qu'un acheteur est prêt à payer pour l'obtenir. Par exemple, si une voiture a été payée 15 000 euros il y a 5 ans, il ne serait pas très réaliste d'inscrire ce montant à l'actif de votre patrimoine. Il serait plus raisonnable d'inscrire le montant de sa valeur d'occasion !

Dans le domaine de la finance, néanmoins, le choix de la *fair-value* se révèle très contestable. On comprend d'autant moins le caractère systématique d'une telle option que ses bases théoriques sont fragiles [1]. Si en effet la valeur d'un actif financier était stable et fondée sur des éléments objectifs, une valeur pourrait facilement être déterminée, et elle servirait à comparer de façon réaliste des bilans d'entreprises entre eux. Seulement ce n'est pas le cas : la valeur d'un actif financier, on le verra juste après, est en fait largement subjective. Elle dépend non seulement d'une anticipation sur l'état futur du monde, mais aussi de phénomènes de mimétisme très forts. La *fair-value* peut ainsi changer complètement d'un jour à l'autre. Pire, elle envoie des signaux trompeurs qui ont largement contribué aux paniques financières liées à la crise des *subprimes.*

---

1. Ch. Walter, « Les martingales sur les marchés financiers. Une convention stochastique ? » *Revue de synthèse* 2006 n° 2, pp. 379-391. Repris par Ch.Walter : « Le virus brownien et la déroute des professionnels en finance », dans *Repenser la planète finance, op. cit.*

Bref, si le choix de la *fair-value* peut se comprendre pour des activités dont l'horizon de gestion est court, sa généralisation est très critiquable. Comme le relèvent M. Aglietta et S. Rigot[1], entre méthode du coût historique et juste valeur, *« il n'y a aucune raison de faire un choix binaire »*. Or c'est précisément ce qui se passe.

Déclinaison pratique du principe de la « juste valeur » (*fair-value*) : l'évaluation dite en *mark-to-market*. Il s'agit du principe suivant lequel on doit quotidiennement réévaluer un bien en fonction de son cours sur le marché.

Cette norme comptable a une conséquence très fâcheuse : elle limite l'action des investisseurs qui, dans les crises précédentes, se portaient acheteurs lorsqu'ils considéraient les prix des actifs comme sous-évalués dans une optique de long terme. L'évaluation dite en *mark-to-market* conduit en effet à aligner tous les acteurs du marché sur un horizon de gestion court. Aussi, un assureur ne peut désormais prendre le risque de voir l'actif qu'il vient d'acheter se déprécier dans les jours ou les semaines qui suivent alors même que son horizon de gestion est de 8 ou 10 ans (ce que les règles de Solvency II vont pratiquement instituer). Le *mark-to-market* généralisé de façon indis-

1. M. Aglietta et S. Rigot, *Crise et rénovation de la finance*, Odile Jacob, 2009, p. 153.

tincte a donc pour effet de modéliser les comportements et de considérer que tous les acteurs vont vendre leurs actifs à chaque arrêté de compte. De telles règles conduisent, en période de baisse, à ce qu'un grand nombre d'acteurs s'abstiennent d'acheter, conduisant ainsi à une contraction anormale des transactions, à une nouvelle baisse de prix et parfois même à l'impossibilité d'en fixer un. Le marché s'arrête alors de fonctionner et cesse son rôle d'orientateur économique ! Pour le dire différemment, le *mark-to-market* est un cercle vicieux : à mesure qu'un gestionnaire voit ses actifs se dégrader, il est obligé de les vendre ce qui fait encore plus baisser la bourse et la *fair-value*...

Seules des règles intégrant, dans des conditions transparentes, les horizons de gestion des acteurs (moyen-long terme plutôt que court terme) peuvent permettre d'assurer un fonctionnement plus équilibré et donc plus économique des marchés[1]. Nous en reparlerons dans un autre chapitre.

1. Nous avions fait une telle proposition dès mars 2008, lors d'un forum organisé par le *Financial Times* à New York. Mais elle n'a pas été retenue car elle heurte à la fois la vision trop simpliste des marchés qu'ont certains économistes et quelques comptables.

« Les marchés financiers n'indiquent pas le juste prix économique »

Nous avons vu en quoi les acteurs de la finance pouvaient fonctionner de façon imparfaite. Voyons à présent en quoi le mécanisme de fixation des prix des actifs lui-même présente certaines failles, failles qui ne rendent toutefois pas le marché totalement irrationnel.

L'évaluation des revenus futurs suppose que l'on s'assure en premier lieu au moment de l'achat de l'actif que prix et qualité correspondent. Une sous-évaluation du risque associé à l'actif est de nature en effet à générer une moins-value rapide, un peu comme un acheteur inconscient qui achèterait une maison sur un terrain inondable.

L'acheteur doit donc faire l'investissement nécessaire à la recherche du prix. Ce que la littérature universitaire appelle la *price discovery*. Comment procède-t-il ? Soit l'acheteur a des moyens propres, ce qui est habituellement le cas lorsque l'actif est très spécifique ; soit il sous-traite cette recherche parce qu'il n'a pas les moyens de l'assurer lui-même ou il souhaite disposer d'un deuxième avis qu'il comparera à ses propres analyses. Les agences de notation jouent ce rôle d'expert, de « tiers de confiance ». Leur succès s'explique par leur aptitude à évaluer les risques d'entreprises et par le fait qu'elles contribuent à réduire les coûts de transactions puisqu'elles mettent à disposition des informations qui sont reçues et exploitées par tous les acheteurs ou vendeurs potentiels.

Répétons-le, l'échec des agences de notation en 2007, leur inaptitude à évaluer correctement les risques *subprimes* ont montré combien le marché est dépendant de leurs opinions et donc la responsabilité majeure qu'elles exercent.

L'anticipation des revenus d'un actif dépend aussi de la prévision de taux d'intérêt par l'acheteur de l'actif financier. Ledit acheteur y sera évidemment d'autant plus sensible que l'achat est financé à crédit. Il y a donc un lien direct entre valeur des actifs financiers et abondance (ou rareté) des liquidités. Cette dernière est déterminée par la politique monétaire d'un pays : en manipulant différents leviers (taux d'intérêt notamment), la Banque centrale fait baisser ou augmenter la monnaie en circulation [1]. La théorie économique classique a l'habitude de considérer que les décisions individuelles des acteurs (c'est ce dont s'occupe la micro-économie) et les décisions des gouvernements ou de tous les acteurs agrégés (c'est la macro-économie) sont sans lien. Cette hypothèse simplificatrice peut être acceptée pour

1. C'est en tout cas la théorie, mais nous verrons plus loin que ce lien entre taux d'intérêt et masse monétaire n'est peut-être pas si évident…

les marchés de biens et services habituels, mais pour les marchés financiers – *a fortiori* en période de crise – c'est une erreur totale. En clair, les décisions des autorités en matière économique sont à regarder de très près si on veut comprendre l'évolution des marchés financiers.

Plus largement, les marchés financiers sont presque exclusivement dirigés par l'information. Ils sont immatériels, ce qui peut donner parfois un sentiment d'irréalité et entretenir un flou, une incompréhension pour certains publics. En cela, ils se distinguent de tous les marchés physiques qui doivent prendre en compte les capacités, les prix des approvisionnements, les délais de production, les contraintes de stockage et de livraison pour arriver enfin à l'acheteur final. Tous ces mécanismes impliquent des délais, de l'inertie, des capacités d'adaptation. Le retour à l'équilibre sur ces marchés se fait, parfois avec retard, mais fatalement. Quand on vend ou on achète des fruits et légumes, il n'est pas concevable de s'éloigner longtemps de la réalité nue des faits : la présence réelle desdits fruits et légumes, leur qualité, leur abondance relative, etc.

Les marchés financiers sont des boulimiques d'information. Ils en intègrent à chaque seconde, et le flux ne s'arrête jamais, car il y a toujours un marché ouvert quelque part dans le monde. De plus, et aussi paradoxal que cela puisse paraître, les prix peuvent varier, même en l'absence d'information, par le simple fait qu'un acteur anticipe des évolutions futures. Comment se fait cette anticipation ? De toutes les façons possibles, ce qui inclut certes le calcul, mais aussi le pronostic de la voyante ou le doigt mouillé ! C'est là que l'irrationnel peut entrer par la grande porte dans les marchés financiers. Nous allons y revenir. Notons en tout cas que le mécanisme de prise en compte de l'information par le marché revêt une importance particulière.

La théorie classique des marchés financiers (on l'appelle théorie des marchés efficients) est très simple. Suivant cette dernière, les variations de prix s'expliquent par l'arrivée de nouvelles informations qui ne peuvent être déduites de la période précédente et sont donc indépendantes les unes des autres. À tout moment, l'ensemble des informations disponibles est parfaitement connu de tous, et il n'y a donc aucun moyen pour quiconque de « surprendre » les autres en utilisant une information qu'il aurait gardée pour lui. Le prix d'un bien intègre en permanence l'intégralité de l'information disponible. Il n'y a de ce fait aucun profit à attendre de la spéculation sur les prix.

On imagine combien cette hypothèse centrale a pu faire l'objet de controverses, car après tout, il n'y aurait pas des milliers de gens vivant de la spéculation si les marchés étaient vraiment « efficients », autrement dit si la spéculation ne rapportait pas malgré tout !

L'hypothèse la plus discutable est évidemment celle d'une intégration pratiquement instantanée d'informations considérées, *a priori*, comme indépendantes. Il faut en effet deux actes de foi successifs pour accepter ce cadre théorique. L'indépendance des informations est bien sûr le présupposé le plus lourd. Comment imaginer en effet que les acteurs de ces marchés ne mémorisent pas, n'anticipent pas, ne se projettent pas ? Ce que fait n'importe quel particulier qui achète sa maison parce que, d'une façon ou d'une autre, il pense que les prix vont monter plus tard, pourquoi un spéculateur ne le ferait pas ?

Comment, de même, penser que l'information est parfaitement diffusée, quand on sait de quelle façon certaines informations essentielles peuvent rester confidentielles ? Le secret ahurissant gardé pendant des années sur la réalité des pratiques d'un Bernard Madoff ou d'un Enron n'en est-il pas la meilleure preuve ? Si les nouvelles technologies de la communication, comme Internet, ont promu une diffusion de l'information sans précédent, celle-ci n'en reste pas moins très imparfaitement analysée et partagée. En tout cas l'information importante…

Et pourtant, cette théorie des marchés efficients est de fait le support logique d'un certain nombre de modèles d'analyse du risque.

Il est normal que, pour pouvoir modéliser, on cherche à ne retenir que les variables les plus pertinentes. Tout modèle est toujours une simplification, donc une sorte de caricature où certains traits dominants sont forcés. Mais, dans le même temps, au vu de la période récente, on perçoit que cette vision du marché ne peut être la seule retenue.

Des marchés efficients, où l'information est disponible au même moment pour tous les acteurs, on sait qu'il faut passer à une conception plus réaliste ; celle de marchés imparfaits où, du fait d'une information insuffisante ou non discriminante, il n'est pas possible de différencier les actifs suivant leurs qualités. Comment, dans ces conditions, fixer le prix des actifs ? Dans un article universitaire de 1970 devenu célèbre, Akerlof[1] étudie le cas du marché des voitures d'occasion (appelées familièrement en anglais « citrons »). Nous le savons tous, les voitures d'occasion sont de qualités variables. Certaines peuvent présenter des défauts, des vices qui n'apparaissent pas immédiatement à notre œil. Si nous voulons acheter une voiture d'occasion sans nous « faire avoir »,

1. G. Akerlof, « The market for lemons : Qualitative uncertainty and the market mechanism », *Quarterly journal of economics*, 1970.

nous avons intérêt à n'accepter de payer que le prix correspondant à une voiture ayant un défaut caché. Ainsi, on aura au pire payé le juste prix, au mieux fait une bonne affaire [1] ! Si nous appliquons ce raisonnement aux actifs financiers, on comprend alors que, dans le doute, tous les actifs seront alors valorisés sur la base du prix de l'actif ayant la plus mauvaise qualité.

C'est bien ce qui s'est passé avec les « RMBS [2] » et autres actifs incluant des *subprimes*. Faute de pouvoir analyser la qualité des actifs, le peu d'acheteurs présents sur le marché les ont fortement dépréciés, contribuant ainsi à la déstabilisation du marché.

Mais cette déstabilisation n'est pas liée exclusivement à l'information. Elle peut aussi être reliée au fonctionnement du marché du crédit.

Beaucoup d'actifs sont en effet financés par le crédit. La liaison directe entre marché du crédit et marché des actifs est connue de longue date. Mais ce qu'il y a lieu de souligner ici, c'est le jeu conjugué de ces deux marchés pour développer une bulle, c'est-à-dire pour contribuer à ce que le

---

1. Pour la petite histoire, notons que ce mécanisme a théoriquement pour conséquence de chasser les vendeurs de bonne voiture sans défaut caché, et de ne laisser sur le marché que les mauvaises. C'est ce qu'on appelle un phénomène d'« anti-sélection ».

2. *Residential mortgage-backed securities*. Titres adossés à des crédits hypothécaires résidentiels.

prix d'un actif tel qu'apprécié par le marché s'écarte de sa valeur fondamentale[1].

« Les marchés peuvent devenir fous à tout moment »

Le phénomène très spectaculaire des bulles spéculatives au cours desquelles la valeur de certains biens peut atteindre des sommets ahurissants est évidemment la faille la plus notable des marchés financiers. Dès le XIXe siècle, un certain Mackay avait publié un livre resté une référence[2] détaillant plusieurs grandes bulles spéculatives mémorables (dont la célèbre tulipomania, la bulle des bulbes de tulipes qui a eu lieu en Hollande au XVIIe siècle). Si ces bulles ne sont pas nouvelles et n'avaient certes pas besoin des marchés financiers pour exister, il reste qu'elles y ont trouvé un terrain particulièrement favorable de développement.

Essayons de décrire ce phénomène et ses modes de fonctionnement afin d'en montrer, malgré tout, les limites.

Le terme « bulle » est une analogie particulièrement bien trouvée avec la bulle de savon. Comme

---

1. C. P. Kindleberger, Manias, *Panics and Crashes. A history of financial crisis.* Wiley Éditeur, New York, p. 12.
2. Mackay, *Extraordinary Popular Delusions and the Madness of Crowds*, New York, Harmony Books (1841).

elle, la bulle spéculative grossit spectaculairement ; comme elle, elle finit par éclater brusquement en éclaboussant tout le monde et en disparaissant.

De quelle façon une bulle se développe-t-elle ? La description de ce mécanisme a été remarquablement faite par M. Aglietta et S. Rigot[1]. Il y a d'abord un premier mécanisme auto-entretenu, autrement dit un cercle vicieux. L'offre et la demande de crédit se soutiennent et se développent mutuellement. En effet, plus le prix des actifs augmente, plus la demande de crédit est forte, plus le prêteur se sent sécurisé par le fait que l'actif qu'il prend en garantie se valorise constamment et réduit ainsi, de façon quasi automatique, son propre risque. Plus on se sent riche, plus on se sent en mesure d'emprunter de fortes sommes ! Dans le même temps, les acheteurs d'actifs sont encouragés par ce mécanisme de valorisation qui, parce qu'il apparaît continu et régulier, les sécurise et les engage à continuer à investir[2].

Si, au même moment, les taux d'intérêt sont bas pour des raisons macro-économiques, rendant l'emprunt moins coûteux, tout concourt à l'euphorie.

---

1. M. Aglietta et S. Rigot, *op. cit.*, pp. 25-26.
2. Voir aussi M. Aglietta, *La crise : pourquoi en est-on arrivé là ? Comment s'en sortir ?* Michalon, 2008, p. 14 et ss.

On comprend ainsi pourquoi les marchés financiers ont comme caractéristique, à la différence des autres marchés, de ne pas revenir spontanément à l'équilibre. Ils sont enivrés par la valeur qu'ils créent eux-mêmes, et qui n'est pourtant en grande partie qu'illusion et fumée !

Cette période précède, pour reprendre l'expression de Kindleberger, le paroxysme et le retournement[1]. Mais il faut *a priori* un choc exogène (extérieur) pour que la tendance s'infléchisse. La Banque centrale peut, comme c'est sa vocation, prendre une telle initiative mais en pratique elle le fait rarement, se contentant, dans certains cas, d'avertir du danger, mais elle n'intervient pas avec ses moyens d'intervention habituels. On comprend qu'il est difficile de prendre la responsabilité de stopper une économie en pleine croissance, et en pleine euphorie !

À quel moment le retournement a-t-il lieu ? Lorsque les représentations que les acteurs ont du marché changent à la suite de ce l'on a coutume d'appeler un « choc informationnel ».

On peut avoir, à un moment donné, une conviction partagée par une grande majorité d'opérateurs suivant laquelle le marché fonctionne normalement puis à un autre moment, parce qu'il y a un choc informationnel, cette vision bascule.

1. M. Aglietta et S. Rigot, *op. cit.*, p. 22.

Une illustration de ce phénomène est intervenue en 2007. En milieu d'année, les agences de notation ont revu en cascade leur opinion sur la qualité des actifs. 73 milliards d'euros d'actifs ont été dégradés en l'espace de quelques semaines, soit 9 % des encours estimés en RMBS *subprimes* en circulation[1].

Ce mouvement a brutalement avivé les inquiétudes existantes mais qui n'en n'étaient pas parvenues à la conclusion explicite suivant laquelle, d'un seul coup, tout l'environnement changeait.

On peut donc passer ainsi d'une situation dans laquelle le marché fonctionne de manière efficiente[2] dans des conditions globalement proches de la théorie à une situation dans laquelle les marchés deviennent imparfaits au sens de G. Akerlof[3]. Le prix d'un actif financier ne peut donc être isolé des conditions de fonctionnement du marché sur lequel il est valorisé. Il ne peut non plus être isolé de la psychologie, du comportement des acteurs. Suivant les traces de Robert J. Shiller[4], certains comportements manifestent *« une exubé-*

1. AMF.

2. A. Demartini : « Les conséquences de la mutation financière : les systèmes financiers », édition Économie, Paris, 2009, sous la direction de Ch. de Boissieu, p. 18.

3. G. Akerlof, *op. cit.*, 1970.

4. R. J. Shiller, *Irrational Exuberance.* Princeton (New Jersey), Princeton University Press, 2000.

rance irrationnelle » (expression reprise depuis par A. Greenspan) et offrent une autre grille de lecture aux marchés.

Pourquoi, à l'exception de quelques acteurs isolés, les marchés ne réagissent-ils pas aux premiers signaux d'alerte et attendent-ils parfois plusieurs mois pour prendre en compte un changement de tendance ? La compréhension de ce phénomène nous place au cœur du mécanisme dit « de contagion ».

Dans le cas de la crise financière, il a fallu le choc provoqué par les agences de notation pour que le marché bascule alors que d'autres signaux préexistaient.

Les spécialistes de l'économie comportementale nous apportent une première grille de lecture. A. Orléan a ainsi forgé la notion « d'aveuglement au désastre ». Les marchés financiers ont, selon cet auteur, une propriété essentielle appelée « autoréférencialité » : à savoir le fait que « pour gagner de l'argent sur un marché, l'important n'est pas de détenir la vérité, c'est-à-dire de connaître quelles sont les vraies valeurs des actifs, mais bien de prévoir le mouvement du marché lui-même[1] ». Pour un spéculateur, la réalité d'une valeur est, à la

1. A. Orléan : « De l'euphorie à la panique. Penser la crise financière » Éditions ENS, mai 2009, p. 48.

limite, sans importance. Ce qui importe, c'est de savoir ce que va penser le marché.

Tout cela vient de Keynes[1] qui expliquait que le marché financier était comme un concours de beauté où il s'agit de choisir la coiffure qui sera considérée comme la plus belle par la majorité des votants. « Peu importe dans ces conditions, se dit chaque votant, mon opinion sur qui est effectivement la plus jolie coiffure ; il suffit d'imaginer ce que les autres penseront à ce sujet. C'est ce que pensent les autres qui est important, non mon opinion personnelle. » De la même manière, une personne amenée à voter lors d'un scrutin proportionnel peut avoir ce raisonnement purement autoréférentiel : elle cherchera à voter pour la liste qui recueillera le plus de voix afin de maximiser le nombre des élus face au parti opposé. Ce type de mimétisme repose sur un raisonnement conscient et rationnel de l'acteur. Dans bien des situations, il vaut mieux avoir tort à plusieurs que raison tout seul. Keynes écrit ainsi : *« la sagesse universelle enseigne qu'il vaut mieux pour sa réputation échouer avec les conventions que réussir contre elles. »*

Avec Orléan, d'autres auteurs mettent en évidence ce qu'ils appellent le mimétisme du

1. J.M. Keynes, *Théorie générale de l'emploi, de l'intérêt et de la monnaie*, Paris, Payot, p. 171.

marché[1] qui s'explique par l'asymétrie d'information entre les différents opérateurs qui interviennent sur un marché. Quand on possède moins d'information que les autres, il est logique et raisonnable de copier ceux qui en sont dotés… du moins le croit-on.

Ce mimétisme informationnel « *consiste pour un individu à en copier un autre parce qu'il lui prête une meilleure connaissance de la situation*[2] ». On imite les autres parce qu'on suppose qu'ils possèdent plus d'information que nous. Imaginons que nous soyons pris par un incendie dans un grand magasin. La fumée se propageant, nous ignorons où se trouve la sortie. C'est alors que nous apercevons la silhouette d'un individu qui court d'un air décidé vers notre gauche. Nous supposerons que cet homme possède une information meilleure que la nôtre, c'est-à-dire qu'il sait où est la sortie, et nous le suivrons. Il n'y a là rien d'irrationnel, et, cependant, il se peut tout à fait que l'homme que je suis ne sache pas plus que moi où se trouve la sortie ! Imaginons alors que d'autres clients pris au piège, me voyant choisir une direction de fuite, décident de me suivre à leur tour.

1. C. Boucher et H. Raymond : « Les bulles spéculatives dans les systèmes financiers » sous la direction de Ch. de Boissieu, *op. cit.*, p. 79.

2. A. Orléan, « Psychologie des marchés, comprendre les foules spéculatives », dans J. Gravereau, J. Trauman, dir., *Crises Financières*, Paris, Économica, p. 111.

On comprend bien comment le signal d'un seul peut déterminer, par ricochets successifs, l'option prise par le groupe entier. Tels les moutons de Panurge mis en scène par Rabelais, une seule personne se trompant entraîne toutes les autres vers leur perte. Dans ce type de mimétisme, l'action des autres nous apparaît comme une « preuve de vérité ».

Pour ajouter à ces phénomènes mimétiques, notons que la pratique nous montre qu'un opérateur peut se trouver pendant un court laps de temps décalé par rapport au marché, mais qu'il ne peut s'en éloigner de façon importante ou durable. De même, sortir d'un marché parce que l'on considère que le risque croît de façon anormale constitue une vraie prise de risque. En cas de défaut d'appréciation sur l'ampleur ou la durée du phénomène, le risque de marginalisation est très élevé. Dans bien des cas, encore une fois, mieux vaut avoir tort avec les autres que raison tout seul ! Toujours Keynes.

Nous comprenons maintenant mieux comment la contagion a pu avoir lieu, autrement dit comment les acteurs se sont mutuellement persuadés que tout était normal et que tout allait bien, alors même que chacun sent plus ou moins que la situation est mauvaise. Nous comprenons aussi comment, une fois le retournement commencé, tout le monde suit d'autant plus rapidement que l'immobilité avait le mimétisme pour cause ! On a ainsi observé que tous les intervenants réagissent de la même façon et tentent de liquider les actifs qu'ils détiennent pour limiter leur risque. Il s'ensuit un nouveau déséquilibre du marché qui déclenche une nouvelle vague de baisse des prix. Le tout étant accéléré par le jeu des règles comptables comme nous le verrons plus loin[1].

Pour aller plus loin – la liquidité, facteur clé du fonctionnement des marchés

Il a beaucoup été question, dans les pages qui précèdent, du niveau de liquidité, autrement dit de la quantité d'argent mise en circulation par les investisseurs. La crise financière que nous traversons s'est largement traduite, on le sait, par une crise de liquidité : les emprunteurs, même les plus solvables, ne trouvaient plus personne pour bien vouloir leur prêter ! Ceux qui avaient des capitaux à placer avaient trop peur de l'avenir pour oser prêter et préféraient les garder en attendant des jours meilleurs. Même les banques, dont le métier est de prêter, avaient fermé le robinet du crédit. On se souvient que le gouvernement

1. T. Adrian et H.S. Shin : « Liquidité et contagion financière », Revue de stabilité financière/Banque de France, Février 2008, p. 3.

français avait été amené, à plusieurs reprises, à encourager (voire menacer...) les banques afin qu'elles recommencent à consentir des prêts ! Une absence de liquidité est, en effet, absolument dramatique pour l'économie. Les entreprises, même si elles sont en parfaite santé, utilisent en permanence l'emprunt. Pour financer une trésorerie momentanément négative (c'est-à-dire quand elles attendent une rentrée d'argent frais alors qu'elles ont déjà dû faire des dépenses) ou lancer de nouveaux investissements, le développement d'une entreprise ne se fait quasiment jamais sans aide de la banque.

Comment se fait-il alors qu'une crise de liquidité puisse se produire ? Ce phénomène a-t-il un remède ? Comment peut-on assurer un bon niveau de liquidité à l'économie ?

Les différents marchés financiers ne sont pas en outre naturellement interconnectés. Pour qu'ils le soient, il est nécessaire qu'ils soient arbitrés, c'est-à-dire qu'il faut que des acteurs, par leurs achats et ventes, « fassent le pont » et évitent ainsi que les mêmes informations provoquent des variations de prix trop différentes d'un marché à un autre.

Mais pour que cet arbitrage qui porte sur de gros volumes et souvent de petites différences soit possible, il faut que la liquidité soit abondante et à un prix modéré.

Tel n'est pas le cas dans la crise actuelle. Aussi, bon nombre de marchés ne sont-ils pas ou à tout le moins pas correctement arbitrés. Il se produit donc une sorte de fragmentation de la sphère financière qui devient de ce fait beaucoup moins efficiente.

La liquidité est donc le deuxième phénomène qu'il convient d'analyser pour avoir une vue la plus correcte possible du fonctionnement des marchés, et apprécier la signification économique des prix affichés.

On distingue habituellement liquidité de financement et liquidité de marché, même si les deux phénomènes sont de plus en plus étroitement liés. Cette classification renvoie aux deux notions de finance directe et finance intermédiée très classiques mais qui, dans cette période de crise, demeurent pertinentes.

La liquidité de financement permet aux institutions financières de remplir leur fonction d'intermédiation. Leur passif est en général de durée plus courte que l'actif qu'il refinance. Cet écart qui doit bien évidemment être suivi et maîtrisé est comblé en recherchant la ressource manquante sur le marché. Les apporteurs de liquidité sont le plus souvent des gestionnaires d'actifs ou des compagnies d'assurances. Les volumes sont importants. Cette contribution était, au début de crise, de 600 milliards d'euros environ sur le marché français. Lorsque la liquidité est normale, c'est-à-dire qu'un établissement convenablement noté n'a pas de difficulté à s'approvisionner, le risque supporté par l'institution financière est un risque de taux. Ce risque tient au fait que, suivant la conjoncture de taux, la banque peut être obligée de se refinancer à un taux plus élevé que celui de l'actif qu'elle a en portefeuille.

Pour gérer un tel risque qui peut avoir une incidence très forte sur le résultat de la banque, celle-ci le couvre par diverses techniques qui vont de la cession d'actifs à l'émission de titres, en passant par l'utilisation de produits dérivés de taux plus ou moins complexes. Ceci pour rester dans un profil de risque que l'Institution Financière juge acceptable.

On se rapproche ainsi de la liquidité de marché qui est « la capacité de réaliser des transactions d'une manière qui permette d'ajuster les portefeuilles et les profils de risque sans que les prix des sous-jacents en subissent l'incidence [1] ».

La liquidité est donc déterminante dans l'équilibre du système financier. En son absence, les transactions se raréfient, et la signification économique des prix diminue, le financement de l'économie peut être menacé.

Il est donc pertinent d'apprécier le niveau de liquidité. L'analyse traditionnelle considère qu'un certain nombre de conditions doivent être réunies pour qu'un marché soit – au moins potentiellement – liquide.

L'infrastructure de marché doit être efficace de sorte que les coûts des transactions soient les plus

1. A. Crockett : « Liquidité de marché et stabilité financière », Revue de stabilité financière/Banque de France, Février 2008.

faibles possibles et que les variations de prix s'inscrivent dans une fourchette étroite.

Acheteurs et vendeurs doivent être nombreux pour assurer un flux régulier de transactions et toujours limiter les écarts de prix.

Les produits doivent être substituables. Ils doivent, pour ce faire, avoir des caractéristiques qui assurent leur transparence, de telle sorte que, lors de changements dans la perception de la valeur, les ajustements de prix soient rapides et compréhensifs.

Tous ces éléments permettent d'identifier les conditions propres d'un marché liquide dans des conditions dites normales. En période de crise, les mécanismes économiques évoluent différemment, la liquidité en particulier parce que l'on touche directement au comportement, et plus précisément encore à la sensibilité des acteurs, au risque et à leurs anticipations.

Le facteur clé dans une telle situation est l'incertitude. Celle-ci se définit comme « une hausse du risque inconnu et non mesurable [1] ».

Cette incertitude tient à la perte ou à l'absence de repères. Plus précisément encore à l'absence de données historiques lorsque les produits sont de création récente. Si, en plus, ces produits sont complexes, l'asymétrie d'information qui préexiste entre un investisseur et structureur (pour ne

1. R.J. Caballero & A. Krishnamurthy : « Les chaises musicales », Revue de stabilité financière/Banque de France, Février 2008.

prendre en considération que le dernier maillon de la chaîne *originate to distribute*) s'accroît brutalement.

Chaque acteur a alors tendance à choisir le scénario le plus pessimiste par défaut d'information ou de compréhension (on revient alors brutalement dans l'univers des marchés imparfaits).

Les acheteurs s'abstiennent, les vendeurs ne trouvent pas de contrepartie.

Les réactions de tous les intervenants ont tendance à se synchroniser conduisant à de nouvelles baisses de prix des actifs.

Le phénomène ainsi décrit est accentué par le fait que nombre d'acteurs de ces marchés ont joué de l'effet de levier pour doper leurs profits lorsque les prix étaient à la hausse [1]. En cas de changement de la vision du marché, les positions vendeuses se développent d'autant plus que l'effet de levier est important et qu'il s'agit de limiter les pertes au plus vite. C'est le processus dit de déflation de bilan (*deleveraging*) observé en 2008 et 2009.

Cet effet de levier est très important en volume même si ce n'est pas nécessairement le cas en termes de multiples pour les établissements les plus importants.

Le déséquilibre du marché, la disparition de la liquidité que traduit la chute brutale des prix

1. T. Adrian et H.S. Shin, *op. cit.*

conduisent alors à l'apparition du risque systémique.

L'absence de liquidité conduit à reporter l'incertitude sur le niveau de solvabilité des banques. Puisque, faute de pouvoir l'évaluer sur un marché efficient, le prix des actifs est jugé incertain, l'agrégat de ces actifs dans le bilan d'une banque est lui aussi entaché de suspicion. Ainsi s'explique le niveau de baisse généralisée des valeurs financières en bourse, mouvement accéléré et accentué par la spéculation.

La spirale est telle que seule l'intervention de la puissance publique peut l'arrêter. On se trouve face à la problématique associée à la gestion du risque de système. Faut-il soutenir comme dans le cas Bear Stearns, ou accepter le dépôt de bilan comme dans le cas de Lehman Brothers ? La décision est difficile. Les conséquences sont, nous l'avons vu, redoutables. Le système financier mondial a failli basculer en quelques heures. La panique des porteurs de titres obligataires spoliés par la faillite de Lehman Brothers a entraîné un blocage absolu. Il a fallu tout le sang-froid des Banques centrales, des gouvernements et de la communauté bancaire pour sortir de l'ornière.

5.

« Une bonne politique monétaire peut en finir avec la crise »

La phrase que l'on oublie : *« La grande affaire de la politique monétaire, c'est que personne, pas même les économistes, ne connaît ses effets. »* J.K. Galbraith [1].

« Les politiques monétaires ont un effet immédiat et certain sur l'économie »

Tout étudiant en économie, aujourd'hui comme hier, passe un grand nombre d'heures (parfois douloureuses) sur le sujet ardu de la politique monétaire. Comprendre en quoi elle consiste, comment elle fonctionne et ses mérites comparés par rapport à la politique budgétaire sont autant de passages obligés de n'importe quel

1. *Le Monde*, 5 novembre 1974.

diplôme en lien avec l'économie. Au cours de ces séances, un temps non négligeable est toujours passé à évoquer l'opposition de deux grandes théories : celle qui soutient que la politique monétaire est inutile et nuisible (c'est la théorie monétariste) et celle qui pense qu'elle peut jouer un rôle de relance de l'économie (c'est la théorie keynésienne).

Cette dernière théorie semble tenir aujourd'hui le haut du pavé : avec la crise, des voix se sont élevées, par médias interposés, réclamant d'urgence l'intervention des Banques centrales pour injecter de la liquidité dans le marché. On a même vu des économistes dûment patentés en appeler à cette intervention à l'effet supposé évident et quasi automatique.

Difficile de s'immiscer dans un débat théorique qui déchire les économistes depuis cinquante ans. Situons-nous sur le terrain des faits. Et ceux-ci sont têtus : dans la réalité de la France d'aujourd'hui, l'efficacité de la politique monétaire pour résoudre la crise est sérieusement limitée.

Un petit rappel pour commencer, la politique monétaire est « *l'ensemble des décisions et des actions mises en œuvre par les autorités monétaires afin d'atteindre un certain nombre d'objectifs par le biais de la quantité de monnaie qu'elle fournit à l'économie*[1] ». En clair, on (c'est-à-dire la Banque centrale) agit sur la quantité de monnaie en circulation pour enrayer l'inflation ou favoriser la croissance. Dans le premier cas, il suffit de réduire la quantité de monnaie, dans le second de l'augmenter.

Pour les banques et les acteurs des marchés financiers, il est évidemment fondamental de comprendre, voire de prévoir, les décisions des Banques centrales. Ces décisions ont des effets directs et très nets sur leur activité, aussi est-il plus qu'opportun de les intégrer dans leur stratégie de gestion financière. Mais, plus important encore, il faut comprendre par quels mécanismes ces décisions de politique monétaire se transmettent dans le système bancaire, puis dans le tissu économique. Autrement dit, s'il est théoriquement facile d'agir sur la quantité de monnaie en circulation, en pratique les choses sont un peu moins simples.

Évidemment, on n'a pas attendu la crise pour s'intéresser à ces questions. Les mécanismes de transmission des politiques monétaires ont fait depuis de nombreuses années l'objet de multiples recherches et de fréquentes controverses.

Si le scepticisme déclaré de Galbraith rappelé au début de ce chapitre était assez justifié il y a trente-

---

1. Christian de Boissieu, *Les systèmes financiers – Mutations, crise et régulation*, Economica, 2009, p. 205.

cinq ans, on peut toutefois espérer que des progrès sensibles dans la connaissance de ces mécanismes ont été réalisés depuis.

Les premiers travaux d'analyse de l'efficacité des politiques monétaires remontent à 1948. C'est à cette date en effet que Milton Friedman introduit la notion de « délai d'efficacité des politiques monétaires ». Le débat portait alors sur l'utilité ou la non-utilité des politiques discrétionnaires, c'est-à-dire de l'action volontariste sur la monnaie en vue d'avoir un effet sur l'économie. La question très pratique est la suivante : la Banque centrale doit-elle intervenir de façon opportuniste par l'intermédiaire des taux d'intérêt ou doit-elle se contenter d'apporter, de façon quasi automatique, la quantité de monnaie nécessaire au financement de l'économie ?

Par la suite, la recherche ira plus loin dans l'analyse des mécanismes d'ajustement. On prendra en compte les conditions dans lesquelles les agents économiques (et notamment les banques) pilotent leurs arbitrages d'actifs en réponse aux impulsions de politique monétaire[1]. On essaie donc de rentrer dans la « boîte noire » des conséquences de la décision de politique monétaire pour en vérifier l'utilité.

1. G. Pauget, *Les décalages en politique monétaire. Propositions pour l'analyse de l'origine et de la variabilité des retards*, Thèse de Doctorat en Économie, Bordeaux, Juin 1975.

Avec la « règle de Taylor[1] », on est allé encore plus loin puisqu'on disposait grâce à elle d'une formule assez simple permettant de fonder (et donc de prévoir) les décisions monétaires. Avec cette règle de conduite reflétant *grosso modo* le comportement moyen de la plupart des Banques centrales sur le passé récent, on peut déterminer si la politique monétaire est plus ou moins accommodante ou restrictive, compte tenu de la position dans le cycle (croissance ou récession).

Seulement voilà, les systèmes bancaires ont connu au cours de ces dernières années des transformations telles (internationalisation et place grandissante des marchés financiers notamment) que le mécanisme est probablement à revoir. Il dépend en fait en partie de la structure des banques, et implique un décalage plus ou moins long entre le moment de la décision de politique monétaire et ses effets sur la masse monétaire.

Essayons d'expliquer pourquoi. L'approche traditionnelle des processus de transmission des politiques monétaires est centrée sur le taux d'intérêt et prend en compte les effets de ses varia-

1. La règle de Taylor est une règle de conduite pragmatique selon laquelle le taux d'intérêt devrait être modulé par les autorités monétaires à un niveau égal au taux d'intérêt d'équilibre (lequel dépend de la croissance potentielle), plus cinquante pour cent de l'écart d'inflation (l'inflation effective moins l'inflation visée), plus cinquante pour cent de l'écart de croissance ou *output gap*.

tions sur le marché et sur l'adaptation du comportement des banques dans la gestion de leurs actifs et plus largement de leurs activités [1].

Selon cette approche, une hausse des taux produit une baisse instantanée du prix des actifs à court terme. En effet (et pour simplifier), des taux plus élevés pour les nouveaux actifs rendent les anciens moins attractifs car moins rémunérateurs. Ils sont donc moins demandés et leur prix baisse.

Cette baisse peut même se répercuter sur les actifs longs (ceux dont l'échéance de remboursement est lointaine) si le marché considère que le signal ainsi donné par la Banque centrale est un indicateur de reprise des tensions inflationnistes : une inflation demain signifie un taux d'intérêt réel (hors inflation) inférieur, donc une attractivité moindre de ces titres.

Ajoutons à cela un autre effet : les entreprises qui émettent des titres doivent servir des taux d'intérêt plus élevés pour les placer, ce qui en décourage plus d'un et fait baisser les demandes de financement (un peu comme une hausse des taux fait baisser la demande de crédit immobilier par les particuliers).

Ces mécanismes conduisent à une baisse de « l'effet richesse » des possesseurs de titres et une

---

1. G. Pauget, *op. cit.*

raréfaction des liquidités en circulation. La politique monétaire atteint ainsi son but, qui est en l'occurrence de faire baisser le niveau de monnaie en circulation en haussant les taux.

Comment cela fonctionne-t-il pour les banques ? D'une façon moins directe, nous allons le voir.

Les banques « payent » plus cher leur refinancement [1]. La seule façon pour elles de s'adapter rapidement à cette nouvelle donne, c'est d'engager un processus d'adaptation de leur portefeuille (l'ensemble des valeurs possédées), ce qui peut prendre plus ou moins de temps selon la structure de ce portefeuille.

Une politique possible consiste à augmenter la somme totale de ses dépôts (c'est-à-dire du nombre de clients de la banque) pour avoir plus de liquidités en propre et donc moins de besoin de refinancement. Cela permet d'être moins sensible à une hausse des taux. Mais capter de nouveaux clients n'est pas facile, et en tout cas prend du temps.

Parallèlement, la banque va logiquement remonter son taux de crédits pour les prêts nouveaux en premier lieu puis pour les autres

1. Les banques sont amenées à demander des liquidités auprès de la Banque centrale, c'est ce que l'on appelle une opération de refinancement. Celles-ci leur sont prêtées à un certain taux : c'est le taux de refinancement.

prêts lors de leur arrivée en renouvellement. L'impact de cette hausse sur le portefeuille des banques est donc forcément progressif.

Au total, on comprend donc que l'impact sur l'économie dépend d'au moins trois paramètres : l'ampleur de la variation de taux bien sûr, mais aussi la durée moyenne des crédits du portefeuille et enfin de la proportion de prêts à taux fixes (si beaucoup sont à taux fixes, une variation des taux ne les touchera pas, par définition !).

Comment les systèmes bancaires européens sont-ils placés par rapport à ces différents critères ? Les situations sont très contrastées. On peut opposer par exemple les cas de l'Espagne et de la France.

En Espagne, les conditions de taux aux particuliers sont revues chaque année. L'impact d'une politique de taux est donc fort et rapide. Ainsi, la hausse de taux de la BCE de 2008 a eu pour effet d'augmenter la facture du crédit des emprunteurs immobilier d'un montant équivalent à une mensualité par an. À l'inverse, la baisse de fin 2008 et début 2009 réduit les remboursements et soulage ces mêmes ménages. « L'effet richesse » (le fait de se considérer plus riche) est dans ce cas puissant et se fait sentir dans un délai inférieur à un an.

En France, plus de 80 % des financements de l'immobilier des ménages sont à taux fixe. Une fois le contrat conclu, l'emprunteur devient insensible aux variations de taux d'intérêt. Il peut se passer à peu près n'importe quoi, cela ne change rien pour lui ! Les seuls éléments qui peuvent donc changer sous l'impulsion des politiques monétaires sont les crédits à la consommation et bien évidemment les crédits aux entreprises. En tout cas, il en résulte un moindre impact des variations de taux d'intérêt et donc un délai d'efficacité plus long.

Ces différences expliquent que les comportements d'adaptation des banques soient loin d'être similaires. Outre la différence dans la structure et les caractéristiques du portefeuille crédit, d'autres facteurs peuvent être mis en cause.

Il y a lieu de prendre en compte le volume et la durée moyenne du refinancement de la banque sur le marché, lorsque celle-ci est déficitaire en ressource. Ce qui est le cas le plus fréquent. Là encore, des différences objectives de comportement apparaissent ; et la vitesse de contraction de l'offre de crédit est différente suivant les acteurs et les marchés.

Des recherches récentes éclairent d'un jour nouveau ces phénomènes. Une étude du réseau d'analyse des transmissions monétaires[1] conclut que seule une petite partie de la réduction de la

1. *Eurosytem Monetary Transmission Network*

croissance des crédits résulte de la hausse des taux d'intérêt et a été transmise via les effets d'offre [1].

En d'autres termes, et contrairement au dogme économique classique simpliste qui prévaut, la décision de politique monétaire n'a qu'un impact limité sur la quantité de crédits servis par les banques !

Cet effet sur l'offre n'est pas en outre lié à la taille de la banque ou à sa capitalisation mais très directement à sa situation en termes de liquidité, autrement dit à sa politique de refinancement. Or ces politiques sont différentes pour toutes les banques, car elles dépendent de leur structure, mais aussi, en un sens, de leur culture !

Le lecteur sera sans doute surpris par de telles conclusions. La présentation qui nous est souvent faite des instruments de politique monétaire (y compris par certaines Banques centrales) peut avoir pour conséquence d'accréditer l'idée d'une sorte d'effet mécanique et automatique de ces politiques. Ce n'est pas la réalité, nous venons de le voir. S'il y a bien une mécanique à l'œuvre, celle-ci est un peu rouillée…

1. D. Marquez Ibanez, « Banks, credit and the transmission mechanism of Monetary Policy », *E.C.B. Research Bulletin* n° 8, March 2009. Et aussi : M. Ehrmann & A. Worms. « Bank networks and monetary policy transmission ». *Journal of the European Economic Association* 2004, pp. 1148-1171.

Là où les Banques centrales sont très subtiles, c'est qu'elles savent que prétendre avoir un contrôle total de la masse monétaire, même si ce n'est pas vrai, peut tout de même provoquer indirectement les résultats voulus. Les acteurs de marché, qui croient volontiers ce que dit la Banque, vont en effet anticiper un ralentissement monétaire rapide au moment d'une hausse des taux, et ainsi contribuer à ce ralentissement ! C'est le phénomène amusant que l'on appelle en économie une « prophétie auto-réalisatrice » : dire que l'on peut faire quelque chose permet, par le jeu de certains facteurs, de le faire réellement.

Cet effet a ses limites. Une hausse ou une baisse des taux de 25 points de base (0,25 %) ne peut changer significativement et rapidement les tendances économiques. Ce sont des mouvements répétés et d'amplitude significative qui auront le plus d'effet.

La prochaine fois que vous lirez les gros titres des journaux économiques annonçant une baisse des taux minime comme un événement décisif pour l'économie, vous connaîtrez la part de « bluff » des déclarations de la Banque centrale. Sans pour autant être inefficaces, les variations de taux d'intérêt ne peuvent se prévaloir d'effets qu'elles n'ont pas.

« Les banques répercutent mécaniquement toutes les décisions de politique monétaire »

Allons un peu plus loin dans la compréhension de la relative inefficacité (ou en tout cas du décalage) de la politique monétaire.

Trois variables expliqueraient ce que l'on appelle désormais les « frictions » dans la transmission des politiques monétaires via les banques : le capital de la banque ou plus exactement encore ses variations, une augmentation du recours au refinancement par l'intermédiaire du marché et enfin l'innovation financière [1].

Qui décide de la réponse d'une banque à un changement de politique monétaire ? En réalité trois acteurs différents : le tandem régulateur-superviseur, le marché lui-même (dans son compartiment actions-valeurs financières) et enfin bien sûr les instances dirigeantes de la banque. Ces acteurs, par leurs comportements, leurs jugements ou leurs décisions, concourent à encadrer ou à définir la stratégie de la banque face aux décisions de politique monétaire. Si le lecteur ne s'étonnera pas que les dirigeants de la banque et le

1. Bernanke B.S., « The financial accelerator and the credit channel » remarks at the conference on « The credit channel of Monetary Policiy in the twenty first century ». Federal Reserve Bank of Atlanta, 15/06/2007.

marché fassent partie des décideurs, le rôle des régulateurs semblera peut-être moins évident.

Intéressons-nous à eux. Les régulateurs, au travers des règles Bâle II déjà évoquées, ont créé un puissant canal de transmission des politiques monétaires. Ce n'était certes pas leur objectif premier : il s'agissait à l'origine d'assurer la stabilité du système financier.

L'un des premiers piliers de cette nouvelle réglementation visant à limiter les risques est d'imposer une structure de fonds propres des banques qui ne dépasse pas un certain risque (plus on a d'argent disponible, pour faire simple, plus on peut faire face à des risques élevés). *Grosso modo*, pour se prémunir contre un dépassement du risque autorisé lors d'un mouvement important des marchés, les banques sont amenées à utiliser leurs liquidités pour renforcer leur activité de marché (celle qui concerne l'achat et la vente de titres financiers). Mais cette liquidité manque, du même coup, à une autre activité de la banque : celle de financement (autrement dit le prêt aux entreprises et aux particuliers). Or qui dit moins de financement dit réduction de la liquidité en circulation, c'est-à-dire réduction de la masse monétaire !

Il s'agit donc d'un outil à effet quasi immédiat pour la Banque centrale : le levier de l'exigence de fonds propres. En augmentant cette exigence, le mécanisme que nous venons de voir raréfie la monnaie très rapidement. Objectif atteint !

Cet outil a toutefois ses limites. D'abord, il n'est pas directement entre les mains des Banques centrales elles-mêmes, mais entre celles des régulateurs. Compte tenu de leur objectif, qui est, encore une fois, d'assurer la stabilité du système financier, il n'est pas certain que ces régulateurs obtempèrent toujours de bonne grâce à des demandes des Banques centrales dont ils ne dépendent pas.

Deuxième raison : l'exigence de capital ne se bouge pas comme on change de taux d'intérêt. Elle est difficile à modifier pour des raisons exclusivement d'ordre conjoncturel, et ne peut être utilisée que pour corriger des phénomènes récurrents ou structurels.

Plus grave encore, les règles Bâle II souffrent (on l'a vu plus haut) d'un effet pervers s'opposant directement à l'action monétaire : l'effet procyclique qui fait qu'une tendance économique donnée (à la baisse ou à la hausse) est accentuée. En effet, une évaluation plus négative de la qualité des actifs en portefeuille (par exemple parce qu'on anticipe une hausse de la probabilité d'impayés) entraîne, selon les règles Bâle II, un accroissement de l'exigence en capital. Comme, pour un niveau donné de recouvrement des crédits, le risque calculé doit être couvert par des fonds propres ou des provisions, l'accroissement du risque de non-recouvrement oblige les banques à se couvrir plus. Ces règles ont ainsi pour effet de réduire l'offre de crédit (car on ne peut augmenter instantanément le capital) à un moment où, du fait de la dégradation de la conjoncture économique, les autorités monétaires ont, au contraire, pour objectif de fournir des crédits à l'économie ! Procyclique et contradictoire : qui dit mieux ?

Bâle II a ainsi pour effet, dans ce cas, de neutraliser en partie les mécanismes de transmission. C'est ce que l'on a observé au début de l'année 2009. La hausse des provisions collectives des banques consécutives à cet effet procyclique réduit leur rentabilité et donc leur capacité à créer du capital nécessaire à la croissance des crédits. Pour résumer et faire court : en assurant la stabilité financière, ces règles rendent inopérants les effets de manche des Banques centrales.

On pourra objecter que, même en l'absence de telles règles, la montée du risque a de toute façon comme conséquence habituelle de pousser les banques à durcir les conditions d'acceptation des nouveaux crédits de façon à assurer une meilleure maîtrise des risques à terme. Et c'est tout à fait vrai : les banques sont très sensibles aux risques. Prudents par vocation, les banquiers ferment les cordons de la bourse au crédit dès que le vent du doute souffle sur les places financières. Il faut donc se garder de faire de Bâle II un bouc émissaire « empêcheur de croissance ». L'effet de ces règles est plutôt d'accélérer l'adaptation du comportement des banques parce que la montée des provisions est de ce fait plus rapide.

Le refinancement est, avec la variation du capital et le changement dans la perception du risque, un autre canal de transmission de la politique monétaire. Rappelons que le refinancement désigne le fait, pour une banque, de se « ravitailler » en argent frais auprès de la Banque centrale (en échange de garanties données à celle-ci).

Les différentes techniques de refinancement utilisées n'interviennent pas de la même façon dans la transmission. Ainsi, suivant les techniques ou les supports utilisés, les effets sont différents. Voyons cela de plus près.

La titrisation est une première technique. Elle consiste en la transformation de créances en des titres (d'où le nom) qui pourront ainsi être échangés facilement. Si par exemple la banque prête 100 000 euros à M. Durand sur cinq ans, elle pourra inscrire cette créance dans son bilan, c'est-à-dire qu'elle comptera sur le remboursement de ces 100 000 euros plus les intérêts annuels versés. Mais si la banque vient à manquer de liquidités, elle peut avoir envie d'échanger cette créance (promesse d'un montant remboursé demain et d'un taux d'intérêt) avec quelqu'un (n'importe quel acheteur sur le marché financier) en échange d'argent sonnant et trébuchant. Pour ce faire, elle doit faire de la créance qu'elle possède un titre qui pourra ainsi être vendu sur le marché. La créance, par nature « non liquide » (ce n'est pas de l'argent utilisable tout de suite), sera ainsi devenue « liquide ».

L'un des avantages de cette méthode est qu'elle « sort » les créances en question du bilan des banques. Dès lors, la variation des taux d'intérêt n'a plus d'importance pour elles, et, avantage supplémentaire, le risque de défaillance de l'emprunteur non plus ! Ce sont les investisseurs qui ont acquis les créances titrisées qui supportent à la fois le risque de contrepartie et le risque de taux. La Banque centrale peut alors s'agiter, tempêter, agir sur les taux d'intérêt comme jamais, cela ne changera pas la politique de crédit des banques. Autrement dit et pour faire court, une hausse des taux d'intérêt n'aura pas l'effet recherché sur la masse monétaire.

Ce n'est que lorsque le marché de la titrisation est défaillant (c'est-à-dire que personne n'est preneur de ces créances), lorsque les actifs deviennent illiquides, que la banque réintègre les contraintes dont elle s'était libérée ; mais dans ce cas, dans la précipitation, et à des prix qui lui sont, de fait, imposés. En 2008, pour des raisons de réputation, certaines banques ont ainsi dû reprendre une partie de leurs actifs (devenus « pourris » à cause de l'éclatement des *subprimes*) dans leur bilan.

Autre technique de refinancement qui jouit d'une très grande popularité : l'émission de *covered-bonds.* De quoi s'agit-il ? On appelle ainsi des obligations « sécurisées » car garanties par des actifs identifiés et de grande qualité. Dans ce cas, la banque achète de la liquidité sans avoir à développer une clientèle de nombreux déposants. Ces *covered-bonds* figurent au bilan des banques et sont soumis à de sévères règles prudentielles. Mais la banque utilisant cet outil devient alors très dépendante du marché. Cette dépendance conduit les banques à être beaucoup plus réactives aux impulsions de politique monétaire. Le refinancement par *covered-bonds* implique de correctement mesurer le risque de liquidité. C'est à la fois la clé du succès et de la survie.

Cette préoccupation de la liquidité est à ce point présente que dans les périodes de grande incertitude, comme ce fut le cas à la fin de l'année 2008 et au début 2009, non seulement les banques mais aussi les grandes entreprises ont donné la priorité à la quantité (c'est-à-dire à la sécurité de l'approvisionnement) au détriment du prix, c'est-à-dire du taux d'intérêt. Autrement dit, elles ont préféré promettre des taux d'intérêt plus élevés que le marché ne l'aurait voulu, afin d'être sûres d'attirer suffisamment d'investisseurs. Dans ces circonstances particulières où la gestion de la liquidité à court et moyen terme prend le pas sur toute autre considération, la politique de taux de la Banque centrale devient inopérante.

Les innovations financières viennent aussi modifier le jeu classique des mécanismes de transmission de politique monétaire. Là encore, l'impact des différents instruments n'est pas le même. Les CDS (*Credit Default Swap*), sortes de contrat d'assurance protégeant une banque contre un risque de crédit, ont pour mérite d'isoler et de mesurer le coût du risque associé aux actifs. Il s'ensuit une adaptation plus rapide des politiques de prix des grandes banques. Les mouvements sur ces marchés peuvent en outre constituer une alerte précieuse et rapide sur le plan de la politique du risque : on y sent les tensions plus tôt qu'ailleurs. Le comportement des banques en matière d'offre de crédit doit normalement tenir compte de façon rapide de cet indicateur de prix et de qualité du risque.

Deuxième innovation : les dérivés de taux d'intérêt (produits dont la spécificité est d'immuniser contre le risque de changement des taux d'intérêt). Leur impact sur les mécanismes étudiés fait l'objet d'études spécifiques. Il est clair néanmoins pour le banquier praticien que nous sommes que ces produits réduisent la sensibilité des banques aux impulsions de politique monétaire pour les reporter sur d'autres acteurs.

Troisième type d'innovation qui part du mécanisme classique de la titrisation et introduit ensuite des techniques inspirées des produits dérivés : les CDO (*Collateralised Debt Obligation*). Ces produits complexes ont acquis une certaine célébrité à la faveur de la crise financière. Ils ont pour objectif de disséminer le risque et de proposer aux investisseurs un produit de placement dont le couple risque/rendement corresponde strictement à leurs besoins. Le montage de ce produit impliquait d'associer des actifs de niveaux de risques différents.

Les actifs étaient par construction d'origines différentes et la structuration complexe, puisqu'il pouvait y avoir des « dérivés de dérivés », si bien qu'à la fin, plus personne ne pouvait dire, simplement, ce qu'il y avait dans ces actifs... Ces produits obéissaient à une logique propre et leurs liens avec les mécanismes de politique monétaire étaient faibles ou, tout au moins, très difficiles à établir. On a même le sentiment qu'ils étaient hors champ.

En somme, s'il est incontestable que le développement des actifs à hauts risques que sont les *subprimes* a été permis par une politique monétaire de taux d'intérêt bas, les produits utilisant les taux d'intérêt, en revanche, sont assez déconnectés des décisions monétaires. Les produits financiers sont des « paniers » d'actifs divers, et c'est le prix de ces actifs sous-jacents qui importe réellement dans les variations de celui du produit, et indirectement les taux d'intérêt par beau temps. En période de crise, la Banque centrale ne peut que fournir le maximum de liquidité et faire baisser les taux, pour tenter de redonner confiance et éviter aussi une nouvelle dégradation de la situation.

Ceci permet de comprendre la disparition brutale de la liquidité sur le marché des CDO observée au début de la crise. On aurait pu croire qu'elle était la conséquence de la politique monétaire. Il n'en était rien. Cette disparition s'explique, pour faire simple, par la montée brutale des incertitudes sur la qualité des actifs.

Après une rapide revue des mécanismes de transmission de la politique monétaire tels qu'on a pu les observer en période de crise, qu'avons-nous constaté ? Que l'arme des taux d'intérêt, censément radicale, ne marche pas vraiment, ou en tout cas pas comme on le prétend habituellement !

Pour comprendre ce qui influe réellement sur la quantité de monnaie en circulation, on ferait mieux de s'intéresser à l'évolution des exigences de capital, aux méthodes de refinancement utilisées par les banques, à l'évolution du risque perçue par elles, ainsi qu'au jeu particulier et complexe des innovations financières et des anticipations.

Il en ressort que la conduite de la politique monétaire devrait encore être plus complexe dans la période à venir : il ne suffit pas de baisser ou d'élever les taux pour obtenir des résultats.

Or, ce qui ne simplifie rien, il existe *de facto* en Europe trois acteurs différents : la BCE, les gouvernements et les régulateurs. Aucun n'ayant de raison de se coordonner avec les deux autres !

La Banque centrale européenne maîtrise l'arme des taux et la politique de refinancement des banques jusqu'à une durée d'un an.

Les régulateurs ont capacité à faire varier dans les faits le niveau d'exigence en capital et ce faisant de jouer directement sur le cycle du crédit.

Enfin, certains gouvernements assurent, durant la crise, le refinancement des banques pour les durées de 3 à 5 ans en apportant leur garantie.

Pour ne rien simplifier et achever de montrer que l'arme du taux d'intérêt s'est enrayée, il suffit de signaler qu'à l'heure où nous écrivons ces lignes on ne peut plus guère jouer sur les taux pour une bonne raison : ils sont déjà proches de zéro…

L'avenir appartient donc à des politiques monétaires « non conventionnelles », utilisant une palette d'outils très variés.

Que peut-on proposer pour éviter de continuer à faire une confiance aveugle en une arme inefficace ?

La première démarche à proposer est une coordination très étroite entre les 27 régulateurs nationaux, la Banque centrale européenne, et les Banques centrales nationales (notamment celles qui ne sont pas membres de la zone euro).

La seconde initiative consiste, par des actions coordonnées, à relancer le marché du refinancement des banques pour sortir le plus rapidement possible de la facilité offerte par la garantie des États. Il ne faut pas que le marché continue de fonctionner avec cette béquille. Il est temps pour les banques de se rééduquer pour de bon et qu'elles soient capables d'assumer seules tout leur rôle dans l'économie !

6.

« Rien n'est fait pour tirer les leçons de la crise au niveau des marchés financiers »

Le fait qu'on oublie : Le système financier est tout sauf un système non régulé. Il existe, au contraire, de nombreux régulateurs. Par exemple chaque mouvement boursier est scruté par la *Security Exchange Commission* aux États-Unis ou l'Autorité des marchés financiers (anciennement Commission des opérations de bourse) en France.

Ensuite, la réunion du G20 en avril 2009 a clairement montré la volonté des plus grands pays industrialisés de donner au système financier un cadre de référence et d'action qui permette de combiner croissance économique et équilibre du système financier.

Parmi tous les appels à « refonder le capitalisme », le plus récurrent et le plus virulent désigne expressément le « système financier » comme l'ennemi public n° 1. Comme les aristocrates à la

Révolution, on entend bien mettre sa tête au bout d'une pique. Ces exagérations verbales qui sont souvent la marque d'une absence totale d'analyse et d'une indigence consternante en matière de culture économique, ne doivent pas résonner sans que des voix plus raisonnables ne s'élèvent.

Non contentes d'être fausses, ces diatribes sont dangereuses pour nous tous. En vérité, la finance ne doit ni encourir la guillotine ni être relaxée sous les applaudissements. L'édifice est à rebâtir, c'est évident, et les règles du jeu à harmoniser, mais il ne s'agit pas pour autant de changer tout le système qui, pendant longtemps, a bien fonctionné.

La première chose qui saute aux yeux lorsque l'on analyse la crise de 2007, c'est qu'elle illustre la faillite du système de régulation américain et l'absence de coordination réelle entre régulateurs.

Le risque existe qu'une nouvelle bulle se recrée dans les marchés. Il faut en être conscient et le dire. En cela les politiques monétaires non conventionnelles dont nous avons parlé plus haut peuvent y contribuer. Si les banques sont des acteurs importants des marchés et participent à leur stabilisation, elles n'en sont pas, loin s'en faut, les acteurs exclusifs.

La reconstruction d'un système de régulation et de supervision doit prendre en compte de multiples contraintes, et faire l'objet d'un arbitrage délicat qui conditionnera l'exercice des métiers de la finance dans les années à venir.

Les conclusions du G20 d'avril 2009 traduisent la volonté de donner au système financier un cadre de référence et d'action qui permette de combiner croissance économique et équilibre du système financier. Il faut ici saluer le travail qui a été réalisé lors de cette réunion internationale, l'accent était certes mis plutôt sur les efforts de relance, mais on sait qu'une relance sans régulation a moins encore de chance de fonctionner qu'auparavant.

Après le temps politique des grandes déclarations rassurantes, va venir le temps de la traduction des principes en règles opérationnelles. C'est là que les choses se compliquent... Appeler à un « nouvel ordre financier mondial » est facile. Le mettre en place est plus compliqué. Car, s'il est acquis que l'absence de réglementation est mauvaise, il est hélas trop certain qu'une grande abondance de contraintes n'est pas meilleure !

Le dispositif qui résultera sera évidemment le fruit d'une négociation ; il sera nécessairement complexe. Dans un tel contexte, la clarification et la hiérarchisation des principes qui doivent régir ce nouveau système sont utiles et opportunes.

La régulation et la supervision vont jouer dans ce nouvel ensemble un rôle-clé : celui de préciser, de faire vivre un cadre de référence au niveau macro-financier comme au niveau des entreprises financières.

Suivant la définition reprise dans le rapport du Groupe de Haut Niveau présidé par J. de Larosière, la régulation est le corpus de règles qui gouverne les institutions financières. L'objectif central est d'assurer la stabilité financière et de protéger les consommateurs.

La régulation peut prendre diverses formes qui vont de l'exigence d'informations à des dispositifs plus stricts tels que l'exigence de capital.

La supervision est le dispositif qui s'assure que les institutions financières appliquent effectivement les règles définies par les régulateurs.

Même si les rôles et responsabilités de chacun sont bien identifiés, il est nécessaire de considérer régulation et supervision comme un système, c'est-à-dire comme un ensemble face aux autres acteurs de la finance, qu'il s'agisse des gouvernements ou des entreprises financières.

La relation entre régulation et supervision ressort d'une autre logique, celle qui associe l'acteur définissant les règles (le régulateur) à celui qui contrôle leur application (le superviseur). Cette nécessaire liaison explique que les superviseurs soient largement acteurs de la mise au point de la régulation.

Nous allons utiliser ces deux niveaux d'analyse pour caractériser les défaillances ou les faiblesses du système actuel d'encadrement des activités financières et pour identifier les risques à gérer hors de la redéfinition de ce système.

« Le système financier avant la crise ne connaissait aucune régulation »

Les limites du système de régulation-supervision s'inspirent sous bien des aspects de celles que nous avons expliquées plus haut concernant le fonctionnement optimal des marchés financiers. Nous en avons identifié quatre, qui doivent nécessairement être corrigées si l'on veut atteindre l'objectif de stabilité financière.

Le système est en premier lieu à couverture limitée : toutes les activités financières ne sont pas régulées ; tous les territoires n'imposent pas la même régulation ! Le filet de la réglementation est percé en plusieurs endroits.

Cela peut résulter de la volonté des États qui se font une certaine idée du fonctionnement des marchés financiers et de leur rôle dans l'économie. Cela peut tenir aussi, plus simplement, au défaut de coordination entre États qui laissent ainsi se développer de larges espaces non régulés.

Les acteurs du marché, évidemment, profitent de la situation et créent ainsi une industrie apporteuse d'emplois ou d'autres effets économiques positifs. Il est alors d'autant plus difficile pour un État toujours occupé à gérer la plaie du chômage et obnubilé par la croissance économique de remettre ces activités en cause.

Autant de raisons pour que ce qui était à l'origine une anomalie fasse ensuite partie du paysage. L'idée sous-jacente de cette couverture limitée est que l'absence de règles faciliterait la prise d'initiatives et donc à créer plus rapidement de la valeur que les systèmes trop régulés. C'est l'application la plus directe du *credo* libéral le plus étroit : il n'y a rien de tel qu'une bonne absence de contrainte réglementaire… Dans cette perspective, l'exigence de capital minimum ou la démonstration de la compétence des acteurs constituent des barrières à l'entrée. Symétriquement, la prise d'initiative sans contrainte est le modèle le plus créateur de valeur.

Ce n'est pas hélas ce que l'on constate dans les faits. En l'occurrence, l'absence de capital (ou un trop faible niveau de capital) présente en effet un caractère déresponsabilisant, l'initiateur du projet faisant reporter le risque sur le consommateur (ou sur le reste de la société suivant l'ampleur du projet). La liberté d'entreprendre, c'est bien beau (et précieux !), mais en matière de services financiers, entreprendre sans avoir les reins solides met en danger toute l'économie. On a trop vu les conséquences désastreuses de ce genre de négligence.

Ajoutons que l'absence de norme professionnelle rend plus difficile l'identification, puis la sanction de comportements déviants. Laisser des gens proposer certains services financiers sans qu'une autorité *ad hoc* ne soit capable de localiser et d'identifier à tout moment ces personnes, c'est comme laisser n'importe qui exercer où et quand il le veut la médecine. Quand les gens portent plainte (on se souvient de ces malheureux victimes d'un chirurgien esthétique auto-proclamé), il est souvent trop tard…

Un cadre de référence plus strict s'impose donc. Mais il faut l'adapter pour qu'il ne soit pas un poids rédhibitoire, c'est-à-dire le proportionner au risque associé aux activités.

Quel est le risque dans le cas contraire ? Des distorsions peuvent apparaître entre les différents cadres et les différentes activités, ce qui génère des problèmes de déséquilibres de concurrence. Ces distorsions sont à l'évidence source de difficultés multiples, mais elles ne sont pas de nature à déstabiliser l'ensemble du système.

En revanche, le défaut de coordination entre États engendre des espaces non régulés qui peuvent déstabiliser les systèmes. Ces espaces ont fait couler beaucoup d'encre. On trouve dans cette catégorie aussi bien les pays à « législation allégée » que les paradis fiscaux proprement dits. L'impact systémique de ces deux catégories n'est évidemment pas le même : l'existence de territoires dans lesquels il est possible de faire librement tout ce qu'on ne peut pas faire ailleurs (du point de vue financier au moins) est une faille terrible dans le système international de régulation. Un seul trou dans le barrage suffit à le rendre inutile ! La réduction de cet espace non régulé est donc un enjeu pour la stabilité du système financier.

Il est bon que les pays associés au sein du G20 en avril 2009 aient annoncé, parmi tout un train de mesures, la lutte coordonnée contre ces territoires non régulés qui peuvent aussi être des paradis fiscaux. Le G20 s'est mis d'accord pour que l'Organisation de coopération et de développement économiques (OCDE) publie une liste des pays fiscalement non coopératifs – c'est-à-dire qui n'acceptent pas de publier la liste des particuliers et des entreprises qui pratiquent l'évasion fiscale, c'est bien. Mais la suppression des espaces non régulés ne doit pas être oubliée car leur existence fait courir un risque à l'ensemble du système, c'est-à-dire à nous tous.

La deuxième faiblesse du système de régulation-supervision est son caractère fragmenté, face à une économie et des marchés financiers mondialisés. Les différences de normes qui en résultent sont problématiques. La non-coordination des acteurs est également un facteur potentiel aggravant en période de crise. Voyons cela plus précisément.

La fragmentation des régulateurs est manifeste. Il suffit de prendre l'exemple caricatural des États-Unis avec un commissaire aux assurances par État qui n'a pas su identifier le risque *monoline* (dont nous avons parlé dans un chapitre précédent), une Commission de Sécurité des Échanges (*Security Exchange Commission*, ou SEC) qui ne régulait pas vraiment les grandes maisons de *Wall Street* et une Réserve Fédérale qui, devant la complexité et la fantastique vitesse d'évolution de la crise, ne pouvait que tâtonner. De plus, il ne faut pas se voiler la face, certains régulateurs américains (du financement du logement par exemple) avaient un intérêt direct en tant qu'institution à ne pas exiger une application trop stricte des règles ! Certains économistes parlent ici de « capture du régulateur ».

Inertie du régulateur, fragmentation et non-coordination : les conditions d'une crise sont donc réunies.

Appliqué au niveau européen, le tableau est certes moins sombre, mais les limites sont également apparues. Le régulateur n'a pas eu le temps de s'adapter car il n'est pas organisé pour cela. Les superviseurs se sont sans doute coordonnés, mais sans que leur intervention soit vraiment perceptible, faute d'un processus de décision clair.

Quelle réponse suggérer à ce problème spécifique de la fragmentation ? Il n'y en pas des centaines : la seule réponse possible est de rebâtir l'architecture du système de régulation et de revisiter la relation régulation-supervision.

Le sommet de la pyramide est constitué par la surveillance des risques systémiques (c'est-à-dire les plus globaux, ceux qui menacent le système financier dans son ensemble).

Le renforcement du rôle du FMI, l'élargissement des responsabilités et de la composition du Conseil de stabilité financière vont manifestement dans ce sens, comme la création d'un Conseil en charge de la surveillance des risques systémiques, proche de la Banque centrale européenne.

Mais cela ne doit pas occulter deux problèmes.

Le premier (déjà mentionné plus haut) est que les États-Unis, bien que partie prenante aux travaux qui ont conduit aux règles Bâle II puisque dirigés par le gouverneur McDonough, ont encore récemment confirmé qu'ils n'envisageaient pas de mettre en œuvre lesdites règles ! Autrement dit, les États-Unis considèrent que ce sont d'excellents principes… pour les autres ! Le risque existe donc que l'on ait en sortie de crise deux univers distincts de régulation : l'un pour les États-Unis, l'autre pour le reste du monde. Ce qui pose immédiatement un problème de distorsion de concurrence entre grands établissements internationaux.

Le second problème est ce ratio d'endettement (*leverage ratio*) dont nous avons déjà parlé et à qui l'on tente de prêter des vertus qu'il n'a pas. Non seulement ce ratio est inopérant sur le plan prudentiel, mais en plus il est porteur de fortes distorsions de concurrence entre grandes banques internationales.

Autrement dit, on risque de remplacer des règles du jeu dangereuses par d'autres qui le sont peut-être tout autant, et en plus, injustes !

La troisième caractéristique du système de régulation-supervision est son caractère hétérogène. Bâle II est aujourd'hui essentiellement un système européen, il ne faut jamais l'oublier. Cela fait porter aux banques de cette région tout le poids des nouvelles contraintes (dont on a vu notamment le caractère procyclique, accentuant les problèmes du marché). Les banques et les régulateurs américains ne donnent pas le sentiment d'être concernés par ce sujet [1].

Cette hétérogénéité existe également au niveau européen même. La définition du capital n'est pas toujours identique. Cela conduit, dans les faits, à une pression anormale du marché à partir de calculs sommaires érigés, dans un climat de forte

1. Elles sont en train de mettre en évidence le fait que les outils Bâle II sont, néanmoins, très utiles en période de détérioration du risque de contrepartie, en matière de dépistage du risque et de gestion anticipée de celui-ci grâce aux résultats des exercices de « stress test ».

incertitude, en principes de gestion : les banques sont comparées à partir de mesures qui n'ont rien à voir entre elles, mais qui sont considérées comme identiques ! Par exemple, le concept de « ratio de solvabilité[1] » diffère selon les pays, ce qui induit (à tout le moins) une certaine incompréhension des experts et des marchés. On additionne et on compare ainsi des choux et des carottes !

La quatrième faiblesse du système de régulation-supervision est son caractère procyclique encore et toujours : par les règles prudentielles nouvelles imposées, le système accentue même les faiblesses qu'il est censé corriger.

C'est d'autant plus préoccupant que, dans les mois qui viennent, un autre mécanisme procyclique va se mettre en marche, se conjuguant ainsi à l'autre : celui des règles comptables.

Nous l'avons expliqué plus haut, l'instabilité des marchés entraîne en effet de fortes variations des besoins de fonds propres[2]. La dégradation des notes des contreparties (les évaluations des risques

---

1. Ratio ayant pour but de s'assurer de la solidité financière d'une banque, c'est-à-dire qu'elle a des *ressources propres* pour pouvoir faire face aux risques éventuels liés à ses actifs (non-remboursements de crédits distribués, autres pertes de valeur des actifs).

2. Par l'intermédiaire du critère de la *value at risk* (VAR). Elle représente la perte potentielle maximale d'un investisseur sur la valeur d'un actif compte tenu d'un horizon de détention et d'un intervalle de

de défaillance des emprunteurs) figurant dans le portefeuille de crédit des banques a exactement le même impact.

Or que se passe-t-il si le besoin de fonds propres supplémentaires ne peut être fourni par le marché ? Le système se bloque. C'est-à-dire que les banques ferment le robinet du crédit. Cela peut même mener, dans les cas les plus graves, à ce qu'on appelle le *credit crunch*[1]. Regrettables conséquences, en vérité, d'un système de normes prudentielles et d'un système de normes comptables qui devaient précisément éviter ces problèmes !

Mais alors, quelle solution préconiser ? Il faut que les approches comptables et prudentielles aillent de pair, ce qui revient à poser la question du pouvoir des régulateurs en matière comptable. Encore une fois, les marchés financiers ne peuvent être comparés aux autres marchés, leur spécificité comme leur place dans l'économie justifient un régime spécifique, coordonné avec l'IASB[2] mais avec une indépendance suffisante par rapport à celui-ci, et une présence déterminante des régulateurs au moment de la prise de décisions.

---

confiance donnés. Plus le risque perçu est grand, plus la perte potentielle grandit.

1. Que l'on peut traduire par « effondrement du crédit ».
2. Voir ce terme dans le lexique.

« Pour régler la crise, il suffit d'imposer plus de règles »

À en croire certains commentateurs, la régulation serait la panacée. C'est elle, et elle seule qui est censée constituer la solution parfaite à la crise. En réalité, les choses ne sont pas si simples.

Il existe pourtant au moins cinq raisons de penser que les futures réglementations ne seront pas suffisantes pour régler la crise ; soit autant de risques que ce nouveau chemin que nous empruntons tous ne soit pas si parfait que nous l'espérons.

Le premier risque naît de la multiplicité des coordinations à différents niveaux, sans que les procédures de décision soient suffisamment claires.

Personne ne conteste la souveraineté des États, mais ils ont tout de même besoin d'être conseillés et aiguillés, afin de prendre les bonnes décisions. À cet égard, préciser que le FMI ou le Conseil de stabilité financière formulent des avis, ou mieux encore, des recommandations, que celles-ci sont publiées, sous quelle forme, à quelle fréquence, seraient autant d'éléments précieux qui permettraient d'attirer l'attention des opérateurs de marchés, des médias, ou plus généralement de tous types d'acteurs qui peuvent influencer les décisions des acteurs publics.

On sait la difficulté des négociations autour des systèmes de pouvoir. L'Europe en est une excellente illustration, et certaines des recommandations du rapport Larosière témoignent de la difficulté toute récente à progresser, même modestement, en la matière. Mais clarifier les rôles, expliciter les modes de coordination, définir la forme des avis ou recommandations et leur publicité peuvent être autant de facteurs qui exercent une pression et permettent ce faisant de progresser. Le partage d'outils, leur diffusion sont aussi un puissant moyen d'harmonisation, parce que fondé sur une analyse plus fine et plus explicite des mécanismes financiers.

En somme, des procédures plus claires, des outils partagés entre acteurs publics et privés, sont de nature à faciliter ou renforcer les liens et donc à abaisser certaines barrières, à diffuser dans de meilleures conditions les informations. Tous éléments qui peuvent améliorer l'efficacité de la transmission des politiques monétaires et mieux apprécier leur impact potentiel sur l'économie.

Il serait souhaitable que l'Union européenne joue un rôle précurseur en la matière. Elle en a besoin pour conforter son union monétaire au moment où les économies se désunissent. L'Europe, parce qu'elle est moins coordonnée et moins réactive que les États-Unis, ne peut prendre le risque supplémentaire d'une importation de règles et de normes sans en mesurer les effets et sans valoriser les éléments positifs. Puisque l'importation a eu lieu, il est d'autant plus urgent de pousser à la coordination. Cette dernière ne sera pas simple dans un concert européen encore divisé, mais plus nécessaire pour cette même raison.

Le deuxième risque est celui d'un empilement en matière d'exigence de fonds propres, à un moment où les marchés ne répondront pas de façon satisfaisante à la demande du secteur financier.

Cette accumulation est prévisible dès lors que l'on assiste concomitamment à un renforcement des exigences de capital liées aux activités de marché, un autre associé à la dégradation du portefeuille, un troisième au fonctionnement défectueux du système de rémunération des opérateurs de marché tenu pour encourager une prise excessive de risque. Cela sans tenir compte d'une exigence supplémentaire, associée à la gestion du risque de liquidité ou à une éventuelle prise en compte d'un ratio d'endettement ! Bien sûr, il n'est pas assuré que tous ces mécanismes se mettent en place au même moment, interviennent ensemble, mais leur seule énumération met en évidence qu'une étude d'impact de leurs effets conjugués est nécessaire. La sécurité souhaitée par tous les acteurs ne saurait conduire à l'asphyxie du système !

Cette accumulation est la voie de la facilité pour les régulateurs, les gouvernements. Elle rassure dans une période où on observe une perte de confiance à l'égard des banques mais elle ne garantit pas un financement optimisé de l'économie. Lutter contre cette tendance, c'est prendre le pari de la croissance sur une longue période au détriment d'une forme de repli.

Le troisième risque est celui qui est lié aux nouveaux outils qu'il convient de mettre en œuvre pour mieux gérer la liquidité et éviter, au niveau des établissements comme du système dans son entier, que l'on touche le fameux mur de liquidité (c'est-à-dire son assèchement) et que l'on en meure.

Le Comité de Bâle[1], puis les régulateurs des différents pays, tentent d'apprécier le phénomène de la liquidité et le risque correspondant par des modèles, des *stress tests* et une exigence supplémentaire en termes de capital. À l'évidence, la transformation qu'opèrent les établissements de crédit doit être limitée ; leur capacité à se refinancer, y

1. Voir lexique.

compris en période d'instabilité des marchés doit être correctement appréhendée.

Mais il faut aussi rappeler que, bien qu'on ne l'avoue pas au grand public, la liquidité est un mécanisme complexe et encore mal connu. L'inégale répartition de l'information entre acteurs (appelée asymétrie d'information par les économistes) brouille le jeu. C'est aussi le cas, lorsque l'incertitude croît brutalement, des brusques changements de comportement. C'est ce genre de phénomène qu'on a pu observer en 2007 au moment d'une dégradation de notes en série par les agences de notation.

Aussi faudrait-il accepter l'idée que les mécanismes prudentiels mis en place aujourd'hui sont révisables. Il est indispensable d'investir dans la connaissance des phénomènes de liquidité et d'intégrer ces nouveaux acquis dans les systèmes de pilotage. La liquidité a une large composante comportementale. Celle-ci est largement liée à la représentation que se font, à un moment donné, les acteurs de l'état du système. Cette représentation change. Les facteurs qui expliquent le passage, parfois brutal, d'une représentation à une autre méritent d'être mieux connus, mieux tracés. Les progrès de l'analyse comportementale appliquée à l'économie devraient pouvoir nous aider en cela.

Tout ne doit pas se limiter à des ratios. Une marge de sécurité est nécessaire. Mais là encore, évitons de faire supporter aux établissements de crédit ce qui a été pour une part un défaut de surveillance du système par certains régulateurs.

Enfin, dans la zone euro tout au moins, une approche transfrontière est indispensable. Elle devrait même logiquement constituer un préalable à la mise en œuvre de nouvelles exigences. Comment accepter qu'avec la même monnaie, on continue à considérer que la liquidité des établissements qui travaillent dans plusieurs pays continue à être gérée sur une base exclusivement nationale. Et, pour agrémenter le tout, différente d'un pays à l'autre.

Le quatrième risque est que la complexification de l'arsenal prudentiel constitue un frein à l'innovation financière. Or celle-ci est indispensable pour améliorer le financement de l'économie.

Ce risque est difficile à appréhender. On doit, dans le contexte actuel, s'en remettre à la qualité du dialogue entre superviseurs et acteurs de marché. La crise nous rappelle que certaines innovations insuffisamment maîtrisées ou contrôlées peuvent avoir un caractère destructeur. On ne peut donc s'en remettre à la seule organisation spontanée du marché. Un cadre est nécessaire. Il ne va pas de soi qu'il bloque automatiquement l'innovation. Innovation n'est pas nécessairement antinomique de régulation. Comment concilier les deux ? L'une des voies possibles est celle de l'expérimentation, analysée et contrôlée phase après phase. Après tout pourquoi ne pas s'inspirer des méthodes utilisées dans les laboratoires de recherche scientifique ? C'est-à-dire préparer des « expériences », monter progressivement en puissance, vérifier que théorie et pratique se conjuguent harmonieusement.

Le cinquième risque vient de la difficulté à relier, tant dans la sphère réelle que dans la sphère monétaire, les approches micro et macro. Ce sont souvent, y compris dans les travaux universitaires, des univers indépendants. Pour le dire en termes simples, on ne comprend pas encore bien comment les décisions globales (par exemple, de politique monétaire) influencent les décisions des acteurs individuels.

Il n'est pas possible de se satisfaire d'une telle situation. Pour mieux comprendre ce lien micro-macro, les mesures d'impact des politiques monétaires sur les marchés financiers doivent être systématisées et approfondies. Il en est de même des changements imaginés dans le domaine de la régulation. Le pilotage implique que l'on ait une idée claire des relations de causalité existant entre les phénomènes (quelle règle provoque quel comportement par exemple). Sans une telle connaissance, on avance nécessairement en aveugle.

Deux mots, pour synthétiser. Dans les mois qui viennent, le système de régulation-supervision, qui existait mais était loin d'être parfait, va connaître de nouvelles évolutions, voire une transformation. Il est absolument nécessaire pour mieux assurer la stabilité du système financier. Dans cette démarche, protectrice de l'intérêt collectif, veillons à faire en sorte que la performance du système financier (et en particulier des acteurs des différents marchés) soit convenablement prise en compte.

Ce serait un étrange paradoxe que l'Europe en construction, qui veut se renforcer sur des bases solides et reconnues comme telles de stabilité financière, soit handicapée pour avoir suivi des règles venues d'ailleurs (et non suivies là-bas) sans avoir suffisamment pensé leur fonctionnement et leur interaction. Régulateurs et banques partagent le même objectif : parvenir au meilleur équilibre possible entre stabilité, sécurité et performance, c'est-à-dire, continuer à assurer le meilleur financement possible de l'économie.

« Les réformes en cours ne résolvent rien »

La décision prise par le G20 d'avril 2009 d'élargir les missions du Fonds monétaire international et de créer un conseil dédié à la prévention du risque systémique traduit une vraie prise de conscience de la part des gouvernements. Un travail important reste à faire pour préciser les missions de chacun et assurer une coordination efficace entre les différentes institutions, dont les pratiques de travail communes sont à ce jour limitées.

Il ne fait toutefois pas de doute qu'une étape a été franchie. Si le nouveau Conseil de stabilité financière (*Financial Stability Board*) se saisit bien des dossiers, les risques systémiques devraient être mieux appréhendés à l'avenir.

Les propositions de la Commission européenne adoptées par le Conseil en juin 2009 prévoient la création d'un Conseil européen des risques systémiques (*European Systemic Risk Council*) comprenant les banquiers centraux, les régulateurs de banque, assurance et marchés et la Commission européenne elle-même. Il a vocation à décider de la politique prudentielle au niveau macro-économique, d'alerter de façon anticipée les superviseurs, d'effectuer des analyses comparées des développements macro-économiques et prudentiels, et d'indiquer les lignes directrices qu'il y aurait lieu de suivre.

Le système européen de supervision qui a en charge le volet « micro-prudentiel » de la supervision[1] comprend comme par le passé trois comités : banque, assurance et marché. À quoi servent-ils et que peuvent-ils ? En complément de leurs compétences actuelles, ces comités ont vocation à arbitrer des divergences entre superviseurs nationaux. Toutefois, les décisions prises ne peuvent avoir pour effet de solliciter les contribuables, domaine qui relève de la compétence exclusive des États (seul l'État peut lever l'impôt). Les comités ont aussi le pouvoir d'adopter des standards de supervision, d'adopter dans le cadre des collèges qui assurent la supervision des établissements transfrontières de décision relevant du niveau individuel. C'est à ce niveau également que s'effectuera l'enregistrement des agences de notation.

Là encore une étape est franchie, même s'il reste encore beaucoup de flou ; ce qui est logique quand il faut construire un large consensus avec un grand nombre de pays. Comme à l'échelle internationale, le mode de relation entre les niveaux macro

1. C'est-à-dire celui qui s'occupe de vérifier que chaque établissement respecte les règles de prudence fixées.

et micro-prudentiels n'est pas explicité. Cela peut conduire, si cela n'est pas fait rapidement, à de nouvelles divergences dans la conception et la pratique des différents outils d'orientation ou de contrôle.

La façon la plus efficace d'éviter toute divergence est de disposer à l'échelle internationale (ou à tout le moins au niveau européen) de règles prudentielles strictement communes. C'est ce que les professionnels appellent le *« single rule book »*. Ceci revêt un caractère impératif. Il n'est en effet plus possible, après la crise, que les 27 pays européens aient, en pratique, chacun leur définition du capital, concept clé qui domine toute l'architecture des règles prudentielles !

Il faut cesser de faire une confiance aveugle aux modèles. Le biais typique de ces méthodes a joué plus d'un tour par le passé. Un modèle, aussi beau soit-il, souffre toujours d'un vice congénital : il est élaboré à partir des précédents historiques. Une approche par scénarios permettrait de mieux identifier les zones de risques.

Tous les professionnels conviennent que les exigences de fonds propres doivent être renforcées notamment dans les activités de marché. Il faut prendre en compte tous les risques associés à la titrisation mis en évidence lors de la crise. Mais la programmation, le rythme des changements constituent des éléments clés. On peut craindre par exemple qu'une montée brutale des besoins de fonds propres provoquée par une nouvelle réglementation dont on aurait insuffisamment mesuré les effets pose de graves problèmes. En effet, cela pourrait bloquer les entreprises qui n'ont pas la possibilité ou la capacité de se retourner vers le marché boursier, ne serait-ce que parce que, à ce jour, l'appétit des investisseurs pour les actions demeure limité (ils y ont perdu trop de plumes par le passé...). Il en résultera un blocage du financement de l'économie. Les changements de règles doivent donc être impérativement pilotés de manière pragmatique, en veillant toujours à ce que les entreprises puissent, d'une façon ou d'une autre, avoir accès aux financements dont elles ont besoin. C'est la condition *sine qua non* de la croissance...

Ajoutons enfin que les banques européennes, qui sont structurellement plus du côté de la banque traditionnelle dite « intermédiée » (elles jouent les intermédiaires entre les apporteurs de capitaux et ceux qui en ont besoin) que leurs consœurs de *Wall Street*, pourraient bien faire les frais d'un durcissement inconsidéré de la réglementation. Les grandes maisons de *Wall Street* et certains acteurs de la *City* sont en effet plus axés sur la finance pure, et seraient donc beaucoup moins sensibles aux renforcements des règles.

Ce serait un comble : les acteurs à l'origine des déséquilibres générateurs de la crise pourraient bien en être, *in fine*, les principaux bénéficiaires !

Réponse à… ceux qui condamnent les traders et leurs bonus

La réponse d'un banquier sur un tel sujet peut être jugée peu crédible. Observons toutefois que ce banquier est peu engagé dans la banque de marché. Que ce n'est pas sa culture. Que ce ne sont pas ses valeurs mais qu'il est chef d'entreprise.

La crise a jeté une lumière médiatique nouvelle sur les « traders », ces employés de banque qui ont pour tâche de négocier (acheter ou vendre des actifs pour le compte de client ou pour celui de la banque) au sein des banques, sociétés d'investissement, sociétés de bourse pour avoir le meilleur prix, faciliter les transactions, et faire faire des bénéfices à la banque. Ce métier stressant et à haut risque consiste à acheter et vendre chaque jour sur différents marchés, en jouant à la hausse ou à la baisse des actions, des obligations, des devises, etc. Ces *golden boys*, souvent très jeunes (ils viennent de finir leurs études supérieures), étaient dans les années 1980 des symboles de réussite. Avec la crise, leur image dans l'opinion s'est considérablement dégradée… Non seulement ils sont plus ou moins soupçonnés d'être en partie à l'origine de la crise (ou au moins d'y avoir prêté la main), mais en plus les sommes astronomiques de leur rémunération semblent quelque peu obscènes au moment où le chômage augmente.

C'est en effet moins leur travail en lui-même qui est souvent critiqué, que leur rémunération. En plus de leur salaire fixe assez confortable, ces traders sont rémunérés en grande partie à la performance : ce sont les fameux bonus que dans d'autres activités on appelle rémunération variable ou prime.

En août 2009, l'annonce par la BNPP d'une provision de 1 milliard d'euros en prévision des futurs bonus à verser a ranimé la polémique. La fédération FO Banque, par exemple, n'a pas de mots assez durs pour fustiger les banques, et particulièrement les banques d'investissement : *« Sur les places financières, le "festin" reprend sans l'ombre d'un scrupule », « Les banques creusent encore plus le fossé entre l'économie virtuelle des marchés financiers dont les gains se chiffrent en milliards d'euros et l'économie réelle qui souffre actuellement de la crise. »* Le Web aussi s'est enflammé, et l'on a vu fleurir les commentaires reprenant plus ou moins les mêmes thématiques. Nous avons glané certaines critiques et remarques courantes et proposons d'y répondre de façon à dissiper, encore une fois, certains malentendus. Il ne s'agit pas de se poser en donneur de leçons, mais d'essayer d'expliquer et notamment de rendre plus concrètes les conséquences des choix qui peuvent être faits. La banque de marché est aujourd'hui le cœur, ou le poumon, de la banque moderne. On ne peut pas faire sans, même si on donne la priorité à la banque de détail. Et c'est une activité mondiale, avec des règles du jeu mondiales. C'est-à-dire que l'on ne peut pas faire ce métier tout seul, dans un petit coin de l'hexagone.

« Les bonus atteignent des montants scandaleux sans qu'aucune règle ne vienne les encadrer »

Les montants de rémunération cités choquent. Cela se comprend. La comparaison avec le SMIC est redoutable. Mais elle n'est pas juste. Les métiers, les formations, l'expérience... ne sont pas les mêmes.

Quelques chiffres pour être concret : 753 000 euros par an et par personne, c'était le montant des bonus versés aux traders en 2007. Ces bonus représentaient une part très importante de la rémunération totale des salariés, puisque le salaire de base annuel en 2007 d'un junior était de

74 500 euros brut en moyenne et celui d'un senior de 126 500 euros brut.

Il y a eu des abus, c'est incontestable. Notamment lorsque les systèmes de rémunération poussaient trop à faire du volume et ne prenaient pas assez en compte le risque. La découverte brutale des montants en cause a contribué aussi à donner le sentiment qu'il y avait là une partie cachée.

En février 2008, le président de la République lui-même avait critiqué ce *« système de rémunération de ceux qu'on appelle les traders, ces jeunes gens qui jouaient à spéculer »*. *« Ça a conduit à la catastrophe que l'on sait »*, avait-il ajouté. *« C'est ça qu'il faut interdire »*, avait-il conclu.

Les pouvoirs publics ont par la suite demandé aux banques de faire des propositions pour que le scandale qui indigne l'opinion cesse. En tant que président de la Fédération Bancaire Française (FBF), j'ai remis en février 2009 un rapport à la Ministre de l'Économie, Christine Lagarde, proposant de nouvelles règles de rémunération des traders. Ce code éthique était issu de discussions d'un groupe de travail réunissant l'ensemble des groupes bancaires et leurs autorités de tutelle (Direction du Trésor du ministère des Finances, Autorité des marchés financiers, Commission bancaire). Il était clairement affirmé que, *« dans le souci de l'intérêt économique général, les principes en matière de rémunération des professionnels des marchés financiers ont pour objet de renforcer leur comportement et les objectifs à long terme de l'entreprise qui les emploie, particulièrement dans le domaine du risque* ». Les banques françaises se sont engagées les premières et à ce jour ce sont les seules dans le monde[1] à respecter ce code éthique. Ce sont ces règles qui prévalent aujourd'hui en France, et qui s'appliqueront donc aux bonus touchés en 2010. Ces nouveaux principes s'appliquent aux professionnels (*front office*, fonctions support, contrôle) de l'ensemble des activités de marché et de la banque d'investissement et de financement, quelle que soit la forme juridique des entreprises – banque, assurance, entreprise d'investissement, société de gestion, etc.

Que va changer concrètement ce code éthique ? Globalement, la base de calcul des bonus sera modifiée pour prendre en compte le profit net, réalisé par l'opérateur, incluant tous les coûts, dont le coût du risque et le coût du capital. Le code limite également les « bonus garantis », c'est-à-dire le fait de prévoir le versement de sommes pour garder les meilleurs traders, sans condition de performances. La part variable de la rémunération, bien séparée de la part fixe, ne pourra être versée qu'en fonction des gains réels dégagés par l'entreprise, en tenant compte des intérêts des

1. Au 1er septembre 2009

clients. Une part significative des primes sera différée dans le temps afin de « prendre en compte les résultats complets des opérations, souvent connus seulement après plusieurs années ». Autrement dit, le bonus pourrait être supprimé si des positions de marché se révélaient perdantes. Il y aura alors une sorte de malus. Une part de la prime sera également versée en titres ou en options sur titres afin que les bonus soient fonction du cours de bourse de l'entreprise et donc en ligne avec l'intérêt des actionnaires. Sur le plan de la gouvernance, il est prévu que le conseil d'administration des établissements se prononce sur la politique de rémunération et soit informé de leur déclinaison au niveau individuel.

« Même avec le code éthique, les bonus restent hors de proportion »

Certes, les bonus moyens des traders peuvent toujours faire rêver plus d'un salarié. Mais il faut comprendre que ces montants correspondent à une faible part de ce que chacun fait gagner à son entreprise. Le trader ne touche en effet désormais de bonus que parce qu'il a su créer de la valeur pour son entreprise. Pas de résultat, pas de bonus ! Il y a donc désormais un rapport tout à fait réel entre la valeur créée pour l'entreprise et la rémunération.

Personne n'est choqué par les salaires très importants des joueurs de football ou les sommes données aux tennismen qui gagnent un tournoi. Pour quelle raison ? Sans doute parce que l'on sait que, par leur « travail » (car en l'espèce le jeu est un véritable travail), ils créent une valeur énorme pour l'économie tout entière. Le spectacle créé par les performances de tel ou tel grand joueur a des répercussions économiques immenses, et contribue indirectement à l'existence de milliers d'emplois (vendeurs de boutiques de produits dérivés, employés des entreprises dont il assure la publicité, etc.). Les traders sont moins spectaculaires qu'un « petit pont » de Zidane sous l'œil des caméras, mais ils créent aussi de la valeur pour beaucoup de monde.

Il faut rappeler de plus qu'un très grand nombre de professions sont rémunérées à la performance (c'est le cas de la plupart des vendeurs ou représentants). Si les bonus qui en résultent sont si importants pour les traders, c'est qu'il s'agit d'un métier où les sommes manipulées sont considérables.

Enfin, il faut se souvenir que le métier de trader est un métier à haut risque. Il demande une réactivité permanente puisqu'il faut décider en temps réel de l'achat ou de la vente d'actions, de devises, d'obligations ou d'options. Armé de plusieurs téléphones, placé face à de nombreux écrans qui délivrent des informations en temps réel et permettent de surveiller l'évolution et les fluctuations des marchés internationaux, il doit apprécier les risques, fixer le prix des produits et négocier, minute par minute, les transactions. Il doit prendre des décisions lourdes de conséquences en quelques secondes. Les journées de travail commencent très tôt et finissent tard, car il faut suivre en temps réel les ouvertures des bourses des marchés internationaux qui se succèdent tout au long de la journée (Tokyo, Francfort, Paris, Londres, New York). Le stress est permanent et la pression énorme. Ce métier n'est d'ailleurs pas de ceux que l'on fait trop longtemps, car il use… Le montant de la rémunération est aussi, en quelque sorte, une compensation pour la brièveté de l'exercice de cette profession.

Ajoutons qu'on ne s'improvise pas trader comme cela. Parfaitement bilingue, il doit posséder une solide formation en gestion, économie, mathématiques, statistiques et informatique. Ce n'est pas une fiche de poste tout à fait banale !

« Les banques n'ont pas respecté leur engagement de février concernant un code éthique »

Qu'en est-il vraiment ?

Le sujet est tellement sensible qu'une approche rationnelle est perçue comme un plaidoyer alors qu'il ne s'agit que d'une explication.

En application du code de février 2009 qui a pour les banques françaises (compte tenu de la réglementation) force de loi, la moitié de ce montant environ sera versée dans le temps (environ trois ans) si les résultats sont bons. C'est une provision, le versement n'est pas acquis. En plus ce montant est celui qui sera versé à l'ensemble des collaborateurs de la banque de financement et d'investissement. Ils sont quelques milliers. Bien sûr, les « stars » pourront toucher, à terme, des montants élevés. Pour l'essentiel sous forme d'actions. Enfin, tout ceci est surveillé, contrôlé par la Commission Bancaire, l'organe de contrôle qui est une émanation de la Banque de France. Et ces contrôles sont une réalité.

Ajoutons que les règles françaises qui utilisent la valeur ajoutée comme base de calcul des bonus conduisent, dans les faits, à ce que les bonus trouvent des limites. La création de valeur n'est pas infinie puisque le capital alloué est défini et les risques mieux pris en compte.

« Il faut vite légiférer sur les bonus des traders pour les interdire »

Certains revendiquent ouvertement l'interdiction des bonus, érigés pour l'occasion en symbole de l'inégalité du capitalisme. Une telle prise de position est nécessairement populaire, elle est donc tentante. Cette interdiction pose un redoutable problème de principe et peut être dangereux pour l'avenir de la place financière de Paris et des 32 000 collaborateurs qui travaillent dans ces métiers.

Le problème de principe est lié à la limitation des revenus d'une catégorie de citoyens précisément désignée. Si, pour protéger les employés, les salaires minimums sont fixés par la loi, il n'existe pas en revanche de limite supérieure. Chaque entreprise a le droit de fixer en toute liberté, en accord avec le salarié et sous la responsabilité des actionnaires (Conseil d'administration et Assemblée), la rémunération qu'elle verse. La théorie mais aussi l'Histoire ont montré que la meilleure façon de favoriser la prospérité du plus grand nombre était de laisser les entreprises le plus libre possible de la manière dont elles rémunèrent leurs salariés. Cette rémunération doit en effet correspondre à la valeur ajoutée apportée par le collaborateur. Payer trop cher ou au contraire sous-payer introduit des dysfonctionnements dont l'entreprise et finalement l'économie tout entière pâtissent. Pas plus qu'un individu, une entreprise n'a envie de jeter son argent par les fenêtres ; si elle décide par conséquent de verser, en toute transparence, une forte somme à un salarié, c'est parce qu'elle a une bonne raison de le faire. L'entreprise juge que la valeur apportée par le salarié « vaut » cette rémunération, et qu'il est suffisamment précieux pour qu'il soit justifié de l'empêcher de partir. L'entreprise aura bien évidemment, au préalable, respecté scrupuleusement les règles de la profession et de sa gouvernance.

Voilà pour le principe. Voyons maintenant le caractère dangereux d'une telle mesure. Si ce type de règle n'est pas appliqué au niveau international (notamment par les places de Londres et New York), il y a un risque de départ des meilleurs traders (ceux à qui les concurrents proposent le plus) vers l'étranger ou vers les banques qui ne sont pas tenues aux mêmes règles. C'est exactement le même problème que pour les impôts : si vous êtes le seul pays à taxer lourdement le revenu dans un monde ouvert, vous verrez partir bon nombre des plus hauts revenus ailleurs (et c'est précisément ce qui se passe en France, hélas !). Christine Lagarde, Ministre de l'Économie, le dit clairement : « Une loi qui ne serait que franco-française et qui ne serait pas généralisée, ne répondra pas *à la question des bonus* ; [...] Ce n'est pas la peine de bricoler à l'intérieur de ses frontières si, à Londres, à Singapour, ou à New York, le jeu reste ouvert. » *Ajoutons que toute interdiction de ce type est rapidement contournée par des acteurs économiques qui ont déjà donné mille preuves de leur étonnante inventivité ! Rapidement est le mot.*

Imaginons un instant que la France interdise les bonus. Que se passerait-il ? Le risque est tout simplement d'handicaper lourdement les banques françaises au profit des banques étrangères. Sauf à revenir à une interdiction de la mobilité des travailleurs, ce qui est moralement injustifiable (au nom de quoi devrait-on borner la liberté d'aller et venir ?), il faut donc une approche internationale concertée, pour que des règles sur l'encadrement des bonus marchent réellement. Il n'est pas impossible que des principes communs proches du code éthique appliqué en France puissent être adoptés par toutes les grandes banques du monde.

Il faut souhaiter que de telles règles, qui sont raisonnables et justes, fassent l'objet d'un accord rapide. Le marché n'est pas le seul guide, le seul juge de l'action économique. Il doit être encadré par des règles. Lorsque ce marché est mondial, les règles doivent être mondiales. Ne demandons pas aux entreprises ce que seuls les États peuvent seuls décider. On ne demande pas aux entreprises industrielles et commerciales de se substituer à l'Organisation mondiale du commerce qui dans leur domaine fixe les règles. Pourquoi demanderait-on aux banques de le faire ?

Assumer la responsabilité d'une entreprise ou d'un groupe bancaire conduit parfois à se trouver au milieu de forces contradictoires. Celles qui régissent le métier que vous exercez et celles issues de la société, qui notamment du fait de la crise est en quête de repères. Chaque entreprise va devoir trouver son propre équilibre entre l'économique et le sociétal. Pour avancer, il faut avoir des valeurs, des convictions, et le courage de les défendre.

7.

« Les banques doivent complètement changer de modèle »

Le fait que l'on oublie : Depuis la création du système bancaire, celui-ci n'a cessé de s'adapter aux besoins sans cesse changeants de l'économie afin de servir ses clients au mieux. Il a par exemple su s'adapter rapidement à l'internationalisation grandissante des échanges commerciaux, offrant sécurité et services accessibles dans la plupart des pays. Les banques n'ont jamais été statiques ; la diversité des métiers qu'elles exercent témoigne de ce dynamisme permanent faisant d'elles les courroies de transmission de l'activité économique.

Nous voici parvenus au chapitre le plus nécessaire, mais aussi le plus difficile. Les banques ont été durement éprouvées par la crise. Certaines, de par le monde, y ont même laissé leur peau… C'est en termes d'image auprès du grand public que les banques ont probablement laissé le plus de plumes. Pour les punir de leur culpabilité supposée (et souvent infondée, comme nous l'avons vu), certains (comme le député communiste Candelier) sont allés jusqu'à réclamer leur nationalisation. Rien de moins.

Que doit-on réellement changer dans le fonctionnement des banques ? Jusqu'à quel point ce changement doit-il être radical ?

Bien sûr il y a les partisans du « tout changer ». Ce sont en général des non-praticiens. La théorie est complexe, la réalité plus incertaine, voire ingrate. Bien sûr, il y a à l'opposé les tenants du « ne rien changer », on les trouve plutôt dans les banques d'investissement de préférence anglo-saxonnes. Les « ne rien changer » ne veulent pas comprendre que l'opinion publique relayée par les politiques a changé le regard qu'ils portent sur la finance et ses métiers et qu'ils n'accepteront pas que certaines pratiques perdurent. C'est vrai pour certaines rémunérations (les bonus des traders que nous avons évoqués, les retraites-chapeaux, etc.), c'est aussi vrai de certains comportements.

Se demander ce qui doit changer, c'est en réalité tenter de définir le visage de la banque de demain. Or ce futur ne saurait être la conséquence de la seule crise actuelle ; il sera d'abord et avant tout le résultat d'évolutions plus fondamentales.

Certes, les multiples changements vus dans les chapitres précédents concernant la gestion de la politique monétaire, la régulation et la prise en compte du risque vont affecter le pilotage des banques. Mais ces changements ne feront en fait qu'accélérer des mutations déjà commencées et inscrites dans l'évolution des banques depuis de nombreuses années.

« Les clients ont totalement perdu confiance en leur banque »

L'idée selon laquelle il y aurait eu une rupture dans la relation des Français avec leur banque du fait de la crise est en réalité assez inexacte : la relation ne s'est pas détériorée, mais elle s'est significativement transformée.

C'est indéniable, la crise a modifié, perturbé le lien de confiance entre la banque et son client. Septembre 2008 marque, à cet égard, un tournant. Le discours du président de la République à Toulon commence par l'énoncé d'une réalité : *« Comme partout dans le monde, les Français ont peur pour leurs économies, pour leur emploi, pour leur pouvoir d'achat*[1]. » Dans ce même discours, le thème de la confiance dans les banques est abordé

1. Discours de M. Nicolas Sarkozy, président de la République au Zénith de Toulon le 25 septembre 2008.

de façon très directe : *« Les épargnants qui ont eu confiance dans les banques, dans les compagnies d'assurances, dans les institutions financières de notre pays ne verront pas leur confiance trahie... Quoi qu'il arrive, l'État garantira la sécurité et la continuité du système bancaire et financier français. »*

Avec ce discours, la crise est publiquement identifiée. Il faut traiter le problème sans délai. L'incompréhension du public et des médias, bien qu'il ait été clairement affirmé que *« les banques françaises paraissent en mesure de surmonter les difficultés actuelles*[1] », conduit à une interrogation généralisée sur la capacité des banques à assurer l'intégrité des dépôts.

Les témoignages recueillis auprès des collaborateurs des différents réseaux bancaires traduisent l'ampleur des craintes. Les coups de téléphone ou les visites dans les agences de clients inquiets se sont multipliés pendant plusieurs jours.

Un léger mouvement de retrait des dépôts s'amorce. Des dispositifs de surveillance du phénomène sont mis en place et les informations sont remontées chaque jour lors d'une conférence téléphonique qui réunit la Ministre de l'Économie, les administrations, la Banque de France et les dirigeants des grandes banques.

---

1. *Ibid.*

Le phénomène durera une dizaine de jours et se traduira par un petit mouvement de dispersion des avoirs au bénéfice de la Banque Postale qui est le seul acteur à avoir l'État à son capital.

L'inquiétude sera levée lors de l'annonce du plan de soutien aux banques le 12 octobre 2008.

Si, heureusement, aucune panique bancaire ne s'est déclenchée, entraînant une ruée des épargnants vers les guichets pour solder leur compte, c'est d'abord parce que les responsables politiques ont tout de suite pris les bonnes décisions et apporté les garanties nécessaires [1], mais aussi parce que les Français n'ont jamais vraiment douté de leur banque.

Cependant, cet épisode va laisser des traces. D'abord chez les clients qui accordent leur confiance aux banques en général et à leur banque en particulier.

Distinguons deux périodes : avant et après septembre/octobre 2008.

Une première enquête de juillet 2008 [2] retrace l'évolution de l'image des banques au cours de l'année écoulée. Le pourcentage des clients dont l'opinion est inchangée est supérieur à 50 % pour

1. Nicolas Sarkozy au discours de Toulon : « *Je n'accepterai pas qu'un seul déposant perde un seul euro parce qu'un établissement financier se révélerait dans l'incapacité de faire face à ses engagements.* »

2. IFOP – Actualité Financière pour Crédit agricole/Juillet 2008 nº 23388.

toutes les banques à l'exception de la Société générale (impactée par l'affaire Kerviel qui a défrayé la chronique quelques semaines plus tôt). Le pourcentage de clients dont l'opinion s'est améliorée est de l'ordre de 30 %, la Banque Postale atteint même le score de 41 %. Les clients dont l'opinion s'est détériorée sont ceux de la Société générale pour la raison indiquée précédemment et LCL (ex. Crédit lyonnais) en lien avec l'affaire Tapie-Adidas dont on reparle alors.

Hors ces éléments exceptionnels, la première phase de la crise financière ne paraît pas avoir eu un impact très marqué, le pourcentage de clients dont l'opinion s'améliore est supérieur au pourcentage dont l'opinion se détériore.

Une autre étude, réalisée cette fois par IPSOS en mai 2009 [1], vise à apprécier l'impact de la crise financière sur les clients des banques. Son intérêt est d'intervenir après la période perturbée de la fin de l'année 2008, et d'identifier les ressorts de la confiance des clients des banques.

Première information : pour 57 % des clients l'image qu'ils ont des banques n'a pas changé, elle s'est dégradée pour 42 % et s'est améliorée pour 1 %. Pour autant que les deux études puissent être comparées, les opinions stables restent sensible-

1. IPSOS Marketing – Impact de la crise financière sur la confiance et le comportement des Français vis-à-vis des banques/Mai 2009.

ment supérieures à 50 %, à un niveau comparable à celui de 2008.

C'est au niveau des opinions dégradées que l'écart est sensible. Elles étaient de 10 % environ en moyenne en 2008 et 41 % pour la seule Société générale en raison de l'effet Kerviel. Ce pourcentage de 41 % est en 2009 celui de la moyenne des banques. Les quelque 30 % de clients qui avaient une vision plus positive des banques ne sont désormais plus que 1 %. Le changement de posture est clair.

Lorsque l'on interroge les clients sur les raisons de leur confiance en la banque, ils répondent qu'ils prennent en compte le fait que celle-ci soit une marque de référence, qu'elle dispose d'une forte implantation régionale, qu'elle appartienne à un grand groupe et qu'elle bénéficie d'une bonne solidité financière.

Les critères ainsi mis en avant ont comme caractéristique d'être plutôt stables dans le temps, ce qui conforte l'autre aspect des résultats des enquêtes sur les opinions favorables ou défavorables.

Sur quels critères les gens choisissent-ils leur banque ? Les tarifs et la relation avec le conseiller sont les plus fréquemment cités ; la bonne réputation de la banque ne vient qu'en quatrième position après la possibilité de gérer ses comptes en ligne.

À la question : *« Avez-vous modifié votre relation avec vos banques ? »* 91 % des clients répondent qu'ils n'ont procédé à aucun changement. Pour ceux qui ont procédé à un changement, il s'agit principalement ou d'un transfert ou d'une résiliation d'un produit. Voilà qui est bien loin d'accréditer l'idée d'une rupture historique entre les banques et leurs clients !

Si l'on cherche à classer par ordre d'importance les causes du changement d'attitude, on obtient l'ordre suivant : la faillite des banques américaines, les affaires Madoff et Kerviel, les problèmes rencontrés par certains secteurs d'activités et la crise des *subprimes* juste avant la faillite des banques européennes.

Ces résultats ont un côté rassurant pour les banques françaises. Elles peuvent considérer qu'elles sont moins au cœur de la tourmente qu'on a pu le dire. Mais au-delà de ce constat, la façon dont les clients retiennent les événements est intéressante. C'est moins les causes de la crise qui sont mémorisées que ses conséquences. Les banques, pour répondre aux attentes de leurs clients, doivent donc expliquer, plus qu'elles ne le font aujourd'hui, les mécanismes économiques. C'est leur intérêt commercial. C'est un des moyens de retrouver cette confiance indispensable à l'exercice normal de l'activité bancaire.

L'impact de la crise se fait aussi sentir sur les attentes globales des clients à l'égard de la banque et sur la demande de produits et services.

74 % des clients considèrent qu'ils n'ont « plutôt pas » ou « pas du tout changé » mais 26 % disent que leurs critères de choix ont évolué. Que nous disent ces 26 % ? Tout d'abord que les tarifs ont pour 76 % d'entre eux plus d'importance qu'auparavant. La réputation de la banque compte désormais plus pour 62 % d'entre eux, la performance des produits proposés pour 54 %, la relation avec le conseiller pour 53 %.

Ainsi, la compétitivité, l'image, la qualité de la relation sont les éléments à prendre en compte pour engager une dynamique de développement à l'égard de la clientèle qui, depuis la crise, est en train de changer de comportement.

L'attente en matière de produits et services évolue elle aussi. Les intentions de souscription des produits bancaires montrent que 90 % des clients entendent se tourner vers des livrets ou des placements à capital garanti, 1 % vers des supports à capital non garanti et 9 % vers ces deux types de produits. La demande sécuritaire est particulièrement forte. Il n'y a aucun doute et aucune surprise en la matière.

Les attentes en matière de distribution sont également stables. La demande de banque en ligne n'est pas affectée par la crise, sa praticité est toujours autant plébiscitée. À noter toutefois que 82 % des clients jugent préférable que cette banque en ligne appartienne à un grand groupe plutôt qu'à une structure indépendante.

Nous ne disposons pas de données aussi détaillées pour les autres pays. Les données disponibles comparant la balance des opinions favorables et défavorables entre juin et décembre 2008 marquent une claire dégradation en France, Allemagne, Grande-Bretagne et États-Unis. Les pays les plus impactés étant l'Allemagne et la Grande-Bretagne.

Une autre étude, de source différente, qui compare la période décembre 2008-mars 2009 met en évidence une dégradation de la situation en Espagne, une amélioration en Allemagne (vraisemblablement due à l'intervention des pouvoirs publics) et à une prise de conscience au Royaume-Uni et, dans une moindre mesure, aux États-Unis.

Pour aller plus loin – La fin de l'âge d'or des banques de détail : vers une révolution comportementale des banquiers ?

La banque de détail a contribué de façon significative au développement des groupes bancaires [1]. En Europe tout au moins elle constitue le socle à partir duquel les autres activités ont été développées. Elle a fortement contribué à financer tant les extensions géographiques que les diversifications. Cette belle aventure va-t-elle continuer au même rythme ? Il faut malheureusement répondre par la négative et cela pour deux raisons majeures.

La première est que la bancarisation est tellement avancée dans de nombreux pays, que le flux de nouveaux clients à conquérir est limité. Il faut aller les chercher au berceau, car il n'y a plus de phénomène de rattrapage du type que celui qui avait été déclenché par la décision des pouvoirs publics de mensualiser les salaires et, en même temps, de libéraliser les ouvertures d'agences.

Le deuxième facteur qui explique le changement de rythme du primo-équipement bancaire est d'ordre démographique. Les *baby-boomers* ont fourni un flux régulier de clients nouveaux jusqu'en 1995.

1. Cette analyse de la banque de détail est empruntée à un travail réalisé par Jacques Lenormand, Directeur Général Délégué de Crédit agricole S.A. intitulé « La Banque à 10 ans ». Cette étude réalisée dans la première partie de l'année 2007 n'a pas été publiée.

En 2005, le primo-équipement en comptes chèques concerne 700 000 personnes, chiffre à comparer à 2 millions de clients vingt ans auparavant.

Au début des années 1970, le taux de bancarisation était de 60 %, il s'est établi à 94 % en 1990 et à près de 99 % aujourd'hui. La marge de progression est à l'évidence limitée. Aujourd'hui, tout le monde ou presque est déjà client d'une banque ! Tout ceci est confirmé par le fait qu'au début 2007, un client pouvait détenir en moyenne 7 à 8 produits et services dans sa banque.

On est donc proche de la fin de l'âge d'or, de la période considérée aujourd'hui comme une période de facilité. D'où une interrogation sur la stratégie à conduire, les initiatives à prendre pour assurer une croissance régulière sur une moyenne période.

Comment compenser la fin du primo-équipement ? Comment capter les marchés qui sont en phase d'émergence ? Comment imaginer les produits de demain ?

Le premier élément à prendre en compte pour trouver le chemin du « comment » est de considérer les changements de comportement de la clientèle. Ils impliquent que les banquiers, à quelque niveau de responsabilité qu'ils soient, acceptent de modifier la vision qu'ils ont de leur métier : la banque. C'est donc une révolution comportementale, un changement rapide de posture qu'il convient de réaliser.

La vision traditionnelle de la relation banque-client est centrée autour de la notion de fidélité. Il est de fait que la clientèle des banques change moins souvent de prestataire que dans d'autres activités de services à commencer par les assurances. Le taux d'attrition est en moyenne de 6-7 % dans le premier cas, parfois moins pour un nombre limité d'établissements contre 12-13 % dans l'assurance dommages.

La relation bancaire est donc une relation de longue période et les banques ont d'autant plus intérêt à conforter une telle caractéristique que la rentabilité de la relation croît avec le temps. C'est un constat logique : la confiance se renforce dans la durée et conduit à une intensification des relations financières. Par ailleurs, les revenus des ménages ont, en général, tendance à augmenter, sauf accident, au fur et à mesure du déroulement de carrière.

Mais cette tendance est aujourd'hui partiellement remise en cause par le comportement d'une fraction de la clientèle appelée « les butineurs ». Le client reste, pour l'essentiel de la relation, fidèle à sa banque qui continue à gérer les produits essentiels que sont le compte de dépôts ou le crédit immobilier, mais il procède aussi à des achats « d'impulsion » lorsqu'une offre est attractive en termes de prix et simple d'accès. Au total un client perçu comme fidèle aura 50 à 60 % de ses avoirs dans sa banque principale.

Ce comportement est encouragé par l'apparition de nouvelles offres proposées par de nouveaux entrants qui présentent le plus souvent la caractéristique de *pure players.* Ces acteurs peuvent être ou non liés capitalistiquement aux grands groupes bancaires déjà présents sur le marché. Ces groupes ont d'ailleurs soit créé *ex nihilo* ces nouvelles sociétés (comme le Crédit mutuel avec *Symphonis* qui a développé une offre OPCVM et compte titres ou le Crédit agricole avec sa récente société d'épargne en ligne), soit procédé à des rachats comme la Société générale avec *Boursorama* ou sont le fruit de reprises lors d'opérations plus vastes comme *Cortal Consors* pour BNPP ou *CPR On Line* pour Crédit agricole S.A.

Mais d'autres initiatives sortent du schéma suivant lequel les grands groupes défendent leur position en investissant sur de nouveaux créneaux.

C'est le cas, par exemple, d'*Assurtis* créé en juin 2008 à l'initiative conjointe de Mediatis, acteur spécialisé dans le crédit à la consommation, et l'assureur April Group. L'offre ainsi bâtie est un mixte de produits bancaires et d'assurance. Au-delà de ces exemples qui n'ont qu'un caractère illustratif, il y a lieu de dégager deux tendances : la première est l'effritement de la relation bancaire à l'initiative du client parce que celui-ci n'est pas satisfait des offres ou des services qui lui sont proposés. La seconde est la multiplication des offres qui, avec l'appui des nouvelles technologies, apparaissent plus simples d'usage, plus compétitives. Et donnent aux clients plus de liberté par rapport à la banque.

« Finalement, dans la banque, rien n'aura changé »

Indépendamment de la crise, les banques sont vouées à se transformer. Nous allons voir que si les trois grands types d'activité bancaire (banque de détail, gestion d'actif et banque d'investissement et de financement) sont en pleine mutation, celles-ci le doivent, pour les deux premières, moins à la crise qu'à des évolutions plus fondamentales.

Premier type d'activité : la banque de détail. Trois facteurs au moins jouent dans le sens d'une évolution de ses activités : l'européanisation de la banque de détail, le développement du consumérisme appuyé par la voie législative ou réglementaire et enfin une diffusion rapide et croissante des nouvelles technologies.

L'européanisation a toutes les caractéristiques d'une « longue marche » dont le rythme est régulier, même si de temps à autre le rythme peut s'accélérer. L'appartenance à une même zone monétaire est le socle de l'intégration du marché. On distinguera donc l'Europe de la zone euro et l'Europe hors zone euro.

Dans le premier cas, le risque de change n'existe pas et de ce fait, les coûts de transaction sont plus faibles. De plus, des règles communes sont mises en place, ce qui est un puissant facteur d'intégration. Même si les règles prudentielles sont différemment appliquées par les superviseurs, elles ont toutefois le mérite d'exister.

Pour aller plus loin dans ce domaine, il faut disposer de vraies règles communes ; c'est le fameux *single rule book* (« un règlement unique ») souhaité par les grands groupes bancaires européens. Sous l'impulsion de la Commission européenne et dans le cadre de son plan à moyen terme sur les services financiers, deux directives majeures concernant la banque de détail ont été adoptées : il s'agit de la directive sur les moyens de paiements et de celle qui concerne le crédit à la consommation. Dès 2012, ces deux produits de base de la banque de détail auront un véritable marché commun. Parallèlement, la Commission a cherché à unifier le marché des crédits immobiliers. Le livre blanc publié sur ce sujet n'a pas encore apporté des conclusions claires. Ce marché est en effet déjà très compétitif dans chacun des pays, et il n'est pas certain que l'adjonction d'une composante européenne renforce le niveau de compétition.

Un autre sujet étudié par la Commission revêt une plus grande importance. Il s'agit de la transférabilité des comptes entre établissements à l'intérieur d'un même pays ou entre pays. Un transfert simple et rapide renforce instantanément le niveau de concurrence. Des progrès très significatifs ont eu lieu dans chacun des pays. Citons en particulier le Royaume-Uni et la France. Il n'y a pas d'harmonisation européenne au sens strict dans ce domaine, mais plutôt un mouvement convergent qui tient compte du droit et des usages en vigueur dans les différents pays. On peut parier que, à moyen terme, chaque Européen pourra choisir sa banque parmi un très large panel d'établissements.

Au total, la construction d'un marché européen de la banque de détail est en marche. Toute banque de détail occupant une position forte dans un ou plusieurs pays européens se doit d'inscrire sa stratégie de développement dans le cadre européen.

Le deuxième mouvement transformant des activités de banque de détail est la poussée consumériste appuyée (pour des raisons... multiples) par les pouvoirs publics. Il suffit pour s'en convaincre de voir l'intensité des débats et la multiplicité des amendements présentés devant le Parlement à propos du projet de loi transposant la directive sur le crédit à la consommation. Alors qu'il ne s'agissait à l'origine que d'une simple transposition et que la vocation naturelle de ce type de procédure est d'appliquer la directive précisément pour assurer l'homogénéité des pratiques à l'échelle européenne, le projet de loi redessine une bonne partie de cette activité et notamment le crédit renouvelable ! Le consommateur de produit bancaire devient de plus en plus comparable à un consommateur de produits courants : il exige qualité, information et protection, ce qui est évidemment une bonne chose. D'autres exemples de cette tendance au « consumérisme bancaire » pourront être trouvés dans l'inventaire des travaux du Comité consultatif des Services Financiers qui tente de maintenir un délicat équilibre entre les contraintes de l'industrie bancaire et les attentes des consommateurs telles qu'elles sont exprimées par différentes associations. Ce phénomène est général en Europe même si la France est clairement en pointe dans ce domaine.

Le troisième et dernier facteur de transformation est la diffusion des nouvelles technologies. Ces dernières ont-elles, du fait de leur utilité, de leur facilité d'usage vocation à devenir des outils grand public ?

Deux domaines d'activité sont principalement concernés : l'accès à l'information (qu'elle soit générale ou personnalisée) et les moyens de paiements. Les supports qui s'imposent sont bien évidemment Internet et le téléphone mobile. La caractéristique du mobile est qu'il devient désormais non seulement un moyen d'accès à l'information mais aussi à l'occasion un support du paiement sans contact. C'est donc un terminal bancaire dans les mains du client utilisable aussi bien dans les pays très équipés en matière d'infrastructure bancaire que dans les pays qui le sont moins. À charge pour les groupes bancaires d'être suffisamment visionnaires pour construire à temps leurs systèmes d'information et leur stratégie marketing dans cette perspective. Happée dans le tourbillon de la « convergence » faisant du téléphone, de l'ordinateur et de la télévision un seul et même terminal universel, la progression du paiement par téléphone pourrait bien être beaucoup plus rapide que prévue !

Les évolutions ainsi décrites paraissent conduire à trois modèles qui ont vraisemblablement capacité à converger dans le temps en fonction des caractéristiques et de la vitesse de l'internationalisation des banques.

Le modèle du *one stop shopping* à la française qui se caractérise par un niveau élevé de détention des produits et services par les clients (de l'ordre de 6 à 7). Les offres proposées concernent aussi bien les services bancaires et financiers traditionnels que la gestion d'actifs, l'assurance-vie et dommages, la prévoyance et plus récemment la gestion et les transactions immobilières.

Le *multi shopping* britannique qui s'appuie sur une relation client plus distendue avec un nombre de produits par client de 3 à 4, soit 50 % de moins que le modèle du *one stop shopping* et une densité inférieure du réseau d'agence. Ce modèle plus ciblé n'est pas moins rentable ainsi qu'en attestent les résultats de Lloyds, Barclays ou HSBC avant la crise. Notons cependant, on l'a vu avec Northern Rock de façon claire, mais en général avec les banques spécialisées britanniques, qu'il est plus fragile.

Enfin le *no shopping* que l'on voit plutôt dans les pays émergents mais qui peut être exploité dans tous les types d'économie. C'est une banque uniquement centrée sur les opérations avec une infrastructure de terrain (agences, distributeurs de billets) peu développée. Il n'est même pas nécessaire que le client ait un compte, une carte suffit comme dans le cas de la carte Daba–Daba lancée par Crédit du Maroc, filiale du Crédit agricole dans ce pays.

Le succès de ces différents modèles reposera sur un élément commun : la capacité des banques à construire une nouvelle relation avec le consommateur de telle sorte que celui-ci en soit l'acteur.

LCL a fait ce choix qui se traduit par le « contrat de reconnaissance » récemment lancé. Les résultats très positifs obtenus témoignent de la pertinence de la stratégie et de la qualité de sa mise en œuvre. En outre, les premiers éléments dont on dispose laissent à penser que le marketing de LCL a bien « traversé » la crise.

Pour aller plus loin – Un nouveau modèle économique pour les banques de détail

Après l'impact sur la confiance des clients et leurs attentes, la crise a eu pour effet d'affecter la tendance au développement de l'intermédiation qui a été sensible dans la période de pré-crise.

L'analyse conduite dans plusieurs pays sur la période 1994-2004 montre que si le processus de désintermédiation a été important sur longue période, « il s'interrompt aujourd'hui en raison, notamment, de la remontée de l'endettement des ménages [1] par exemple en France ».

L'interruption des marchés a conduit les entreprises à se retourner vers les banques tandis que les ménages continuaient à s'adresser à elles. Ainsi, peut-on expliquer que la baisse de la croissance des crédits ne soit réellement intervenue qu'à la fin de l'année 2008, le 1er semestre 2009 ayant, du fait de l'inertie des encours, un taux de progression encore élevé, notamment si on le compare à celui des autres pays européens. Dès octobre 2008, la chute de la demande des crédits émanant des ménages a été brutale, celle venant des entreprises a été différée. Il fallait bien en effet financer les investissements en cours de réalisation.

1. J.P. Betbèze, *Le système bancaire européen : entre contre-révolution et internationalisation*, Les cahiers du Cercle des Économistes « La guerre mondiale des banques », p. 69.

Comme, à la même période, le coût de la liquidité était très élevé (plus de 200 points de base parfois) les banques ont relevé leurs tarifs pour les entreprises d'abord, pour les ménages ensuite. Lorsque le coût de la liquidité a baissé, celui-ci a été répercuté globalement. Mais progressivement le comportement qui prévalait avant la crise et qui consistait à ne facturer ni la liquidité, ni le risque a cessé car devenant intenable dans un contexte d'exploitation avec des volumes en baisse. Le marché évalue mieux désormais les prix du risque et de la liquidité. Et on peut penser que, même avec une concurrence intense, telle qu'elle résulte de la fin de la période des primo-équipements, cette tendance subsiste car le marché du crédit est désormais plus sain, fondé sur des bases économiques réalistes.

Quelles adaptations réaliser dans le modèle économique de la banque de détail ?

Il s'agit bien d'adaptation, d'approfondissement ou d'infléchissement du modèle de la banque de détail car, comme nous l'avons vu, ce modèle repose sur des tendances de longue période et n'a pas été remis en cause en France par la crise économique. Il en va différemment de notre point de vue au Royaume-Uni ou en Espagne et bien sûr aux États-Unis pour ce qui concerne le financement de l'immobilier des ménages. L'Allemagne est un cas différent car c'est la structure même du système bancaire et l'immobilisme qu'elle génère qui sont en cause.

La perspective d'une sortie de crise caractérisée par une croissance qualifiée de « molle » générera une activité bancaire en progression régulière mais plus faible que dans la période précédente. Une croissance de 5 à 6 % du produit net bancaire n'est plus réaliste. Les 2 à 3 % de progression de 2008/2009 seront difficiles à tenir. Cela veut dire que, pour préserver leur rentabilité, les banques vont devoir assurer une croissance maîtrisée des charges, voire une stabilité. Pour atteindre un tel objectif, une priorité toute particulière doit être donnée à l'investissement industriel et aux programmes de rationalisation de tous ordres. La compétition par les prix restera la dominante. Et par conséquent la recherche d'économies d'échelle sera une priorité. On peut penser que cette politique s'appliquera aux moyens de paiements, à la gestion et à la garde des titres, à la gestion des prêts. Il ne s'agira pas, au moins dans un premier temps, de chercher à faire du nouveau, mais plutôt de chercher à faire mieux en qualité et moins cher. De ce point de vue, les établissements qui ont engagé depuis plusieurs années déjà des programmes dits de « développement industriel » disposent d'un avantage compétitif.

L'anticipation dans la gestion du risque et donc la maîtrise de son coût sur moyenne période sera aussi une variable déterminante. Les investissements réalisés pour mettre en place les règles Bâle II vont se révéler une opportunité s'ils sont convenablement utilisés et approfondis. Il y a là une batterie d'outils propres à mieux cerner et gérer le risque.

Deux autres adaptations nous paraissent importantes. Ce sont elles qu'il y a lieu de mettre en évidence car elles peuvent être à l'origine d'une véritable dynamique de développement : ce sont l'évolution de la relation client et la pénétration du *low-cost* ou "basics" (ce qu'il faut, rien de plus) dans l'univers de la banque de détail.

En matière de relation client la formulation de l'objectif à atteindre est simple, l'exécution plus délicate. Il s'agit de faire en sorte que la banque soit réellement la banque de ses clients. Du fait que les activités et les produits bancaires apparaissent souvent complexes, que le système se soit bureaucratisé, et parce qu'il s'agit d'un marketing d'offre, le client a le sentiment que la banque n'agit que dans son propre intérêt. Tout cela concourt à donner l'impression d'une banque distante, voire hautaine, technique pour mieux se protéger. C'est cela qu'il y a lieu de changer. Le programme est vaste, car cela implique que l'on redéfinisse le positionnement marketing, que l'on réexamine les processus en se plaçant du côté du client, que l'on réorganise le réseau commercial, que l'on forme les collaborateurs, que l'on révise la logique du système d'incitation financière. Cette reconstruction est nécessairement longue, de 3 à 5 ans. Elle nécessite d'être programmée, suivie avec opiniâtreté.

C'est le chemin parcouru par les équipes de LCL depuis 2003. Dès 2008 les résultats financiers ont été manifestes et meilleurs si on les compare avec les autres acteurs du marché. Ils sont intervenus après une restructuration des back-offices fondée sur un travail sur les processus réalisés en 2004 et 2005, puis un changement de positionnement marketing, le lancement d'une nouvelle marque LCL, en lieu et place du Crédit lyonnais, réussie dès 2006. Enfin, une réorganisation complète du réseau avec, en particulier, une simplification de sa structure en 2007 se traduisant par la suppression d'un échelon hiérarchique.

Le *low-cost* est un sujet délicat dans la banque française en raison du taux particulièrement élevé de bancarisation des ménages. Les banques craignent donc qu'en prenant des initiatives de ce genre elles se fassent concurrence à elles-mêmes et ne dégradent leur marge. Dans cette perspective, seuls les challengers dont la part de marché est faible ou de nouveaux entrants pourraient être intéressés par cette stratégie.

Une autre approche est possible. Elle consiste à prendre en compte le fait que, pour les ménages modestes, les dépenses perçues comme essentielles (loyer, électricité, téléphone, etc.) qui représentaient 25 % de leurs revenus dans les années 1970 atteignent aujourd'hui 50 %. Ces clients vont donc de plus en plus faire un tri dans leurs dépenses. Dans ce cadre, la banque a de plus en plus vocation à être perçue par eux comme une *utility*. Revisiter les produits, leurs modes de distribution pour les rendre plus accessibles en termes de prix et d'usage sans pour autant réduire les marges, tel est sans doute le défi des années à venir. Des premières expériences inspirées par la théorie dite de « l'océan bleu [1] » ont été réalisées. Elles peuvent être considérées comme des premiers succès et montrent qu'il y a la place pour des produits innovants qui de ce fait créent de nouveaux marchés sur des territoires somme toute assez traditionnels.

Le premier exemple est le lancement d'une carte intitulée « l'autre carte » dont les prestations sont limitées aux besoins essentiels du consommateur. Il n'y a donc pas d'assurances incluses ou d'autres types de prestations élaborées. La diffusion a rapidement atteint le chiffre de 326 000 exemplaires. La caractéristique à retenir est que cette carte a été achetée, pour une large part, par des clients qui n'en possédaient pas auparavant. Il n'y a donc pas eu de phénomène d'auto-concurrence comme on aurait pu le craindre *a priori*.

Le second exemple est constitué par un produit d'assurance-vie appelé Cap Découverte. Il vise une clientèle à revenus modestes souhaitant épargner en vue de la retraite. Le capital est bien sûr complètement sécurisé et le montant initial comme les versements périodiques sont faibles. Là encore, le succès est là, un nouveau marché se crée. Même si

---

1. W. Chan Kim et Renée Mauborgne. Stratégie Océan Bleu – Pearson Education. Paris/Janvier 2007.

d'évidence il restera limité en volume, c'est une épargne additionnelle qui est ainsi collectée.

Ces flux viennent alimenter la gestion d'actifs dont le modèle doit, lui aussi, être revisité à la faveur de la crise.

L'activité de gestion d'actifs va aussi être appelée à changer. La gestion d'actifs est un marché considérable. Il est estimé à 48 trillions de dollars en 2007. Il est réparti, à raison de 44 % aux États-Unis, 23 % en Europe hors Royaume-Uni et 8 % au Royaume-Uni. C'est un marché d'institutionnels pour plus de 70 %. Les réseaux de distribution, c'est-à-dire le non-institutionnel, représente 24 % en Europe, 9 % au Royaume-Uni et 34 % aux États-Unis[1]. Le marché d'Europe continentale est dominé par les banques universelles.

D'ordinaire, les banques françaises n'assurent que la distribution des actifs gérés par leurs propres gestionnaires d'actifs. Ceci explique qu'ils soient devenus des leaders européens et parfois mondiaux. C'est l'un des points d'appui de la place financière de Paris et une source de la stabilité. Nous venons de le vérifier dans la crise. Au cours de la dernière décennie, une pratique nouvelle s'est progressivement développée : ce que l'on appelle l'architecture ouverte. Elle consiste en la distribution par les réseaux bancaires de fonds ou SICAV

1. Bain & Company – Global Asset Management Industry. Document non publié/Septembre 2008.

gérés par différents gestionnaires d'actifs mis en concurrence pour la circonstance. Ce mode d'organisation est très répandu au Royaume-Uni où il représente plus de 70 % des actifs, en Suisse 42 % et au Benelux 27 %. La France et l'Espagne ont conservé un mode d'organisation traditionnel avec seulement 9 % des actifs gérés en architecture ouverte…

La crise a eu, d'évidence, un impact significatif sur l'industrie de la gestion d'actifs, puisque les prix des actifs sur les marchés financiers ont connu des chutes spectaculaires. Mais le véritable ressort de longue période de son évolution est le comportement d'épargne.

C'est une évidence : l'épargne, c'est-à-dire la partie du revenu qui n'est pas consommée, est liée en premier lieu au revenu. Sans revenu suffisant, impossible de mettre de côté de l'argent pour le consommer plus tard ! Si les flux d'épargne sont dépendants des revenus, les comportements d'épargne, eux, sont extrêmement stables et en relation directe avec l'âge des individus. Dans un pays comme la France, les plus de 50 ans détiennent 74 % de l'épargne totale. Et plus de 50 % de cette épargne est détenue par la clientèle « haut de gamme » (les plus aisés) âgée de plus de 50 ans. Cela veut-il dire que les personnes les plus âgées détiennent l'épargne alors que les plus jeunes en sont réduits à emprunter ? Pas exactement, car ces mêmes « plus de 50 ans » détiennent 44 % de l'encours des crédits à la consommation [1] !

L'analyse de l'épargne faite avec un croisement entre les montants et l'âge met en évidence que l'épargne totale culmine entre 60 et 64 ans. Elle est à ce moment-là le double de ce qu'elle est à 45 ans. Parallèlement, la structure de l'épargne varie avec l'âge dans le sens d'une réduction continue de la part de l'épargne liquide. Il y a bien sûr un lien avec le montant en valeur absolue de l'épargne : quand le montant est limité, il est normal de ne pas prendre de risque. C'est à mesure que l'épargne grandit que les ménages décident de réaliser des placements moins liquides, plus risqués, mais rapportant plus. Au-delà de 30 ans, l'assurance-vie devient le produit vedette, dépassant l'épargne liquide et l'épargne logement. Les valeurs mobilières atteignent un palier entre 30 et 40 ans, puis progressent de façon régulière mais limitée pour atteindre en moyenne 30 000 €.

Ces comportements sont-ils modifiés, d'une façon ou d'une autre, par la crise ? Les tendances que nous venons de décrire peuvent être temporairement affectées par la crise, mais une fois la perturbation passée, la stabilité des comportements l'emporte. Si le stock d'épargne est bien sûr affecté par la baisse des valeurs sur les marchés, c'est en

1. Boston Consulting Group. La crise et le marché de l'épargne. Document non publié/Juin 2009.

fait surtout le mix produit[1] qui bouge dans ces circonstances exceptionnelles.

Le premier impact de la crise est sensible au niveau des volumes. Face à l'incertitude, les épargnants se reportent sur les dépôts et livrets bancaires, délaissant donc les actifs moins liquides. Cela d'autant plus qu'en 2008, la baisse des taux ne jouait pas encore à plein et que les livrets étaient encore correctement rémunérés. Et aussi parce que les banques en mal de liquidité sur-rémunéraient les dépôts à terme. Conséquence : l'industrie de la gestion enregistre au quatrième trimestre 2008 et au premier trimestre 2009 une sortie nette de capitaux d'un niveau jamais égalé. On en vient même à craindre un assèchement de la liquidité de certains fonds. Des dispositions sont prises, en relation avec la Banque centrale, pour que celle-ci soit assurée.

Le mouvement est un peu plus sensible en France car certaines sociétés de gestion étaient devenues des spécialistes des SICAV monétaires dites « dynamiques ». C'est-à-dire que, pour pousser leur rendement dans une conjoncture de taux bas, elles avaient acquis des actifs (RMBS) qui sont apparus risqués avec la chute du marché immobilier américain pour devenir ensuite complètement illiquides (en clair, plus personne n'en veut !). C'est pour assurer cette liquidité et maintenir leur réputation à l'égard de leurs clients

1. Structure des produits achetés par un groupe de clients.

que des banques, sociétés-mères de ces gestionnaires, ont racheté ces actifs qu'elles ont ensuite dû déprécier. Mauvaise opération, direz-vous ? Oui et non. La réputation a été sauvegardée, ce qui est déterminant pour l'image de la banque, mais cela a coûté cher.

Ajoutons que ce mouvement de report massif vers des actifs plus sûrs et plus liquides a été accentué par l'incompréhension des mécanismes de la crise que l'on a constatée chez nombre d'épargnants [1]. C'est bien connu, on a surtout peur de ce que l'on ne connaît pas. Les épargnants ne voyant pas quels sont au juste les ressorts de la crise, ils ont logiquement choisi de se reporter sur des produits sécurisés. Notons au passage que c'est un argument de plus en faveur d'une information pédagogique intensive dispensée à un maximum de personnes lors des crises. Non seulement le public a le droit d'être informé, mais en plus cette information peut avoir un effet modérateur formidable sur les mécanismes de crise (par exemple en évitant une panique bancaire !).

Revenons à notre changement de structure des portefeuilles d'actifs des particuliers. Quelle conséquence cette migration vers la liquidité a-t-elle réellement pour les banques ? Réponse : la dégradation rapide des résultats d'exploitation de nombre de sociétés de gestion d'actif. En effet,

1. Observatoire des Caisses d'Épargne. Les choix des épargnants face à la crise/Février 2009.

la diminution du poids relatif des actifs risqués et leur substitution par des produits monétaires ont un effet massif sur les marges ; celles-ci peuvent être de 60 à 80 points de base (0,6 à 0,8 %) sur les produits à plus forte valeur ajoutée, mais seulement de quelques points de base sur les produits monétaires (0,01 % !). Les sociétés se sont trouvées dans une situation comparable, d'une certaine façon, à un restaurateur qui fait toute sa marge sur les vins et qui voit sa clientèle arrêter de boire pour se limiter à un seul plat !

Les conséquences d'une fonte des résultats sont les mêmes dans toutes les entreprises, financières ou pas : restructuration pour limiter les pertes ou pour restaurer la rentabilité ; amorce d'un mouvement de concentration pour essayer de réaliser des économies d'échelle. Cette concentration prend elle-même deux formes : tout d'abord la vente des sociétés de gestion par les banques universelles qui considèrent qu'elles n'ont pas la taille critique et veulent aller vers un schéma d'architecture ouverte. Le cas le plus explicite est celui de Santander qui a manifesté le souhait de céder sa filiale mais qui n'a pas encore trouvé preneur compte tenu des conditions déplorables du marché. Deuxième forme, on ne peut plus classique : la fusion entre acteurs. La fusion en cours entre Crédit agricole et Société générale Asset Management en est un bon exemple.

Donc, pour nous résumer, la crise a bel et bien provoqué des mutations dans l'activité de gestion d'actifs des banques, mais il est probable que ces mêmes mutations étaient, d'une manière ou d'une autre, vouées à se réaliser. La crise a donc accéléré le mouvement.

Pour aller plus loin – L'adaptation du modèle économique de la gestion d'actifs

La baisse des actifs gérés conduit à une nécessaire remise en cause à court terme du modèle de cette industrie. Toutefois, si l'on dépasse l'horizon 2010 pour se situer dans les années 2012 et suivantes, les perspectives deviennent plus favorables et le taux de croissance des actifs sous gestion pourrait retrouver un niveau supérieur à 10 % pour les raisons évoquées précédemment : vieillissement de la population, réforme des retraites, montée du besoin de protection, cela pour les économies occidentales sans compter la forte expansion des marchés émergents dont la croissance est estimée à 20 % par an.

Compte tenu du poids des institutionnels dans ce marché, la compétition va porter sur la performance, la qualité et la personnalisation des *reportings*, l'innovation et bien sûr le prix.

Aussi, dans la période de crise, le premier objectif est-il d'améliorer la compétitivité, c'est-à-dire de baisser les coûts de gestion. Si certaines entreprises vont rester avec des coûts de gestion à 15 ou 20 points de base, pour les plus petites d'entre elles qui ont fait le choix d'exploiter des niches, d'autres, à raison des économies d'échelle qu'elles sont en train de réaliser, pensent avoir des prix de revient inférieurs de 50 %. On peut donc s'attendre à une rupture dans les coûts de gestion.

Le deuxième axe caractéristique de l'adaptation du modèle est une polarisation progressive entre les gestions « bêta » et « alpha ».

La gestion « bêta » est celle qui propose une exposition directionnelle au marché. C'est la SICAV actions type que nous connaissons bien, notamment sous sa forme indicielle qui représente déjà 20 % des actifs gérés. Elle sera concurrencée par les *trackers*[1] et plus globalement par les produits développés par les banques d'investissement à destination des grands institutionnels. En effet, la clientèle aspire, dans ce type de gestion, à limiter son risque, ce qui conduit au développement des produits structurés, de plus en plus souvent développés par des BFI[2] ou des plates-formes communes aux BFI et aux gestionnaires d'actifs.

Ces deux métiers se recouvrent donc sous certains aspects et l'on voit apparaître deux modèles d'organisation : l'un dans lequel le gestionnaire d'actifs est étroitement lié à la banque

1. Fonds indiciels cotés. C'est un organisme de placement collectif en valeurs mobilières (OPCVM) indiciel coté. Il a pour objet de répliquer la performance d'un indice boursier.

2. Banques de financement et d'investissement.

d'investissement ; l'autre dans lequel ce gestionnaire est plus indépendant. Le premier cas est celui des grandes maisons américaines et de Lyxor en France pour la Société générale. Le second peut être illustré par la décision récente de Barclays de céder son gestionnaire d'actifs pour éviter tout risque de conflit d'intérêt, notamment aux États-Unis.

La gestion « alpha » a vocation à fournir une performance dite « décorrélée » c'est-à-dire non liée à l'évolution des indices. Elle s'est illustrée par la forte montée en puissance de la gestion alternative dont l'une des composantes est constituée par les *hedge funds*[1]. Cette gestion a bien traversé la crise, précisément parce qu'elle ne s'appuie pas sur la tendance du marché mais plutôt sur les arbitrages entre différentes valeurs ou différents marchés.

Ainsi voit-on se dégager une cartographie des modèles d'organisation des gestionnaires d'actifs suivant leurs choix de gestion, plutôt alpha ou plutôt bêta, leurs relations avec les banques d'investissement ou enfin, et c'est la troisième composante, l'existence ou non d'un lien organique avec un réseau de distribution. Il est remarquable de constater que, parmi les 10 premiers gestionnaires d'actifs mondiaux, la plupart n'ont pas de liens privilégiés avec des réseaux. C'est le cas de Fidelity, Capital Group, BlackRock et State

1. Fonds spéculatifs.

Street. Le numéro 3 mondial est Axa Group qui est dans une position intermédiaire bien que sa tendance majoritaire soit l'architecture ouverte. Le seul acteur ayant une expérience internalisée de relation avec des réseaux de banque de détail est, dans les grands acteurs mondiaux, le nouvel ensemble résultant de la fusion entre Crédit agricole Asset Management et Société générale Asset Management en cours de réalisation. C'est un modèle différent du modèle anglo-saxon bâti à partir du *one stop shopping* caractéristique de la banque de détail française. Le pari stratégique associé à ce projet est que les grandes banques de détail européennes, qui ne sont concurrentes ni du Crédit agricole ni de la Société générale, apprécieront d'avoir des interlocuteurs qui, outre la maîtrise de leur propre métier, ont un vrai savoir-faire de conception des produits et d'appui à l'animation commerciale des réseaux.

Dans la gestion d'actifs, plus vite que dans d'autres domaines, les conséquences de la crise obligent à une révision stratégique. Le mouvement a déjà commencé. Et puisque dans cette industrie les économies d'échelle sont une réalité, la course à la taille, facteur-clé de compétitivité, a débuté.

Plus les métiers sont proches des marchés et plus le processus d'adaptation des entreprises aux nouvelles conditions nées de la crise s'impose rapidement. L'exemple de la banque de financement et d'investissement en est une illustration.

Troisième et dernier type d'activité qui est en passe de se transformer : la banque de financement et d'investissement.

Les premiers mouvements de recentrage stratégique des banques de financement et d'investissement datent du milieu de l'année 2008. La rapidité de ces changements ne doit pas surprendre. Dès 2007, ces banques ont commencé à constater d'importantes dépréciations sur les actifs détenus dans leurs bilans, liés au marché immobilier américain et devenus illiquides.

Il fallait donc réagir. L'analyse des décisions prises par les uns et les autres montre qu'il y a en fait deux périodes : la première commence après le 17 mars, date de la reprise de Bear Stearns par J.P. Morgan. L'idée qui prévaut alors est que le risque systémique est écarté et que le temps est venu de définir de nouveaux horizons. À cette date, tous les acteurs ne sont pas convaincus que certains marchés ont définitivement disparu. Aussi, les choix d'interruption de certaines activités, le recentrage sur d'autres, sont-ils accueillis avec scepticisme. Les questions des analystes portent sur le produit net bancaire de remplacement des activités mises en extinction (autrement dit, combien reste-t-il de chiffre d'affaires une fois soldées les activités que l'on décide d'arrêter).

En septembre 2008, le 8, le sauvetage de Fannie Mae et Freddy Mac par le Trésor américain, le 14, la faillite de Lehman Brothers et la reprise de Merrill Lynch par Bank of America, le 17, le sauvetage d'AIG par le même Trésor, le 21, Goldman Sachs et Morgan Stanley deviennent des *bank holding companies*[1] et de ce fait se placent sous la tutelle de la Fed. En quelques jours, une page de l'histoire bancaire moderne se tourne. Le modèle de la banque d'investissement est à réinventer.

Mais la démarche n'est pas comparable à celle décrite pour la banque de détail et la gestion d'actifs. Les tendances lourdes du métier sont beaucoup plus incertaines ; l'impact de la crise est radical. La nature et le nombre des clients ne sont pas comparables. Les banques d'investissement et de financement s'engagent sur des montants considérables, pour un nombre limité de clients (quelques milliers au plus), construisent et vendent des produits très sophistiqués et dont la vie est courte, car souvent liée aux circonstances du marché.

Le premier impact de la crise est, avec la disparition de quelques acteurs, et non des moindres, une certaine concentration du secteur. La réduction de l'offre (autrement dit la concentration) peut avoir un côté mécanique lié très logiquement à la contraction des volumes sur le marché. Ainsi s'expliquent une large part des réductions d'effectifs annoncées par les uns ou les autres. On peut considérer que la *City* de Londres a perdu environ 30 % de ses effectifs depuis 2007 !

1. C'est-à-dire des entreprises qui possèdent une ou plusieurs banques.

Mais la concurrence entre banques d'investissement ne se traduit pas seulement au niveau des clients, elle se joue aussi dans le recrutement des équipes. L'activité de la banque d'affaires nécessite en effet le recours à une main-d'œuvre particulièrement qualifiée, rare, et exigeante en termes de perspectives et de rémunération. Les sociétés qui n'ont pas une taille suffisante ne pourront pas offrir à leurs équipes ces perspectives et cette rémunération. Elles perdront inéluctablement leurs équipes au profit de sociétés plus diversifiées et plus grandes. Comme l'a indiqué un banquier observateur, la *« BFI est le seul métier que je connaisse où le travail exploite le capital »*. La formule est amusante ; elle n'est pas infondée.

Les bases d'un processus de transformation rapide sont donc posées. Mais quelles sont les nouvelles lignes stratégiques et comment les repérer ?

Ce qui semble déjà se profiler, c'est que la banque d'investissement deviendra rapidement une activité bénéficiaire. Même si de nombreuses incertitudes persistent, le taux de rendement des fonds propres après taxes qui était de 21 % avant la crise devrait revenir, après restructuration, et à l'horizon 2011 à un niveau de 14 à 15 %[1].

De plus, le mouvement de restructuration est en marche. Il prend des formes différentes suivant les établissements. Trois types de politiques semblent

1. Estimations McKinsey.

se dégager. La première consiste à appeler un changement significatif dans le modèle économique, à redéfinir les activités centrales (*core business*) et à en déduire un profil de risque qui est en général significativement moins exposé qu'avant la crise [1].

UBS, RBS, Citi, Natixis, Calyon-Crédit agricole CIB relèvent de cette catégorie.

La deuxième politique identifiée consiste en une adaptation, semble-t-il, plus limitée, à la crise et centrée sur la contraction ou la réallocation des moyens. La réduction du profil de risque est réelle. On peut classer dans cette catégorie : Intesa San Paolo, Société générale, BNPP et Goldman Sachs.

La troisième politique est le développement, qui se veut certes maîtrisé, mais qui est affiché : Barclays et J.P. Morgan Chase & Co ont revendiqué ce choix.

Ces trois politiques pourraient conduire à trois modèles qui semblent émerger.

Le premier est celui des institutions à spécialisation BFI. Deux banques couvrent tout le spectre des métiers : Morgan Stanley et Goldman Sachs. Deux autres sont spécialisées dans les fusions-acquisitions : Lazard et Rothschild.

Le second modèle est choisi par des banques pour lesquelles cette activité ne représente qu'une part limitée dans l'ensemble des revenus du

---

1. G. Pauget, *Corporate and Investment Banking Outlook.* Présentation faite à L'Institut International d'Études Bancaires Européennes/Paris, 22 mai 2009.

groupe. C'est souvent une logique de prolongement des activités de banque commerciale au service des clients grandes entreprises et institutionnels. Ces groupes sont en train de s'orienter vers un modèle de banque multi-spécialisée. On y retrouve : HSBC, Santander, Crédit agricole-Calyon, Intesa San Paolo.

Le troisième modèle est celui vers lequel s'orientent des groupes pour lesquels la banque d'investissement représente un poids significatif dans leur *business mix*. Ce sont J.P. Morgan Chase & Co, BNPP, Société générale, Barclays, Deutsche Bank.

Ainsi se dessine progressivement un nouveau paysage de la banque. Le chemin ne sera pas rectiligne mais les grandes lignes semblent tracées. Nous avons vu que, sans être tous dus à la crise, les changements à venir dans l'activité bancaire seront nombreux. Il est évident que les banquiers vont devoir tirer des expériences de ce qui s'est passé.

« Le modèle de la banque universelle reste le moins risqué et le plus solide »

Les métiers de la banque changent un peu sous l'effet de la crise, sauf pour la banque de marché qui, elle, doit s'adapter, sous l'effet de tendances de fond. Mais le vrai changement se fera vraisemblablement ailleurs et autrement. C'est dans la structure des métiers de chaque groupe bancaire que la transformation va s'opérer, pour aller vers plus de simplicité, plus de lisibilité.

Les banques ont beaucoup perdu de leur valeur en bourse, même s'il y a eu une remontée des cours depuis le début de l'année 2009. Certaines valent si peu que si leur cours ne remonte pas dans les dix-huit mois à venir elles peuvent se faire racheter par d'autres (les fameuses OPA, Offres Publiques d'Achat) dès que la crise sera finie.

Les banques pour lesquelles les États ont pris une participation, il y en a 30 en Europe, vont devoir présenter un plan de restructuration à Bruxelles. Il y aura donc des ventes d'actifs, c'est-à-dire des ventes de certaines activités comme la banque privée, la gestion d'actifs ou le crédit à la consommation dans les trois à cinq ans à venir. C'est le terme fixé par la Commission de Bruxelles.

Tout cela va concourir à modifier la structure des activités des banques. Pour imaginer ce que sera le futur des groupes bancaires, nous nous sommes livrés à un exercice de prospective qui consiste à regarder les banques autrement, en tirant les leçons de la crise.

L'une des caractéristiques de celle-ci est, pour les nombreuses raisons que nous avons vues, d'avoir sous-estimé le risque associé à chacun des multiples métiers de la banque.

Alors reconstruisons la banque en repartant de sa vocation première : la gestion des risques et en abandonnant l'approche traditionnelle par les activités. Pour cela, considérons que notre banque gère trois risques majeurs. Le risque traditionnel associé à la banque « du coin de la rue », on reçoit des dépôts qui servent à faire des prêts. C'est le risque dit « de financement ». Ensuite, le risque lié aux activités sur les marchés financiers. Là ce que l'on craint c'est une variation brutale des prix ou des cours, c'est la fameuse volatilité. Enfin, le risque que l'on peut qualifier d'industriel et qui est celui que la banque assume quand elle gère de l'épargne placée sur les marchés pour le compte de ses clients (les banquiers appellent cela la gestion pour compte de tiers).

Avec ces trois risques et suivant leur importance relative, on redéfinit trois catégories de banques :

Celles qui ne gèrent qu'un type de risque. Si c'est le risque de marché, une banque comme Goldman Sachs en est l'exemple type. Pour la gestion pour compte de tiers, l'exemple, moins connu du public, est State Street. On dit que dans ce cas le modèle est « pur ».

On a ensuite le modèle à deux risques. Financement + marché ou financement + gestion pour compte de tiers. On a qualifié ce modèle d'hybride.

Enfin les groupes qui gèrent les trois risques. C'est typiquement la banque universelle à la française.

Poussant plus loin l'exercice, posons-nous la question de savoir comment les marchés valorisent les différents types de banques ainsi reconstitués. Et là : surprise ! L'idée première que l'on a est que plus on se diversifie, plus on réduit le risque et plus le marché devrait être content. Erreur. Le marché aime les choses simples et préfère faire son cocktail lui-même. Il a une préférence pour les modèles purs ou hybrides et il valorise moins la banque universelle et cela même en période de crise.

Cela veut-il dire qu'il faut simplifier l'organisation des groupes bancaires, réduire le nombre de types de risques gérés pour le faire mieux ? On peut le penser au vu de cette recherche.

C'est pourquoi on peut imaginer que l'on va passer de la banque universelle à la banque spécialisée en fonction de ses savoir-faire dans le domaine de la gestion du risque. Reconstruire la banque à partir de son apport à l'économie : quel beau challenge !

Pour aller plus loin : la recherche de la combinaison optimale des activités bancaires

Une approche de longue période met en évidence le fait que le marché valorise mieux les « produits purs », c'est-à-dire les banques dont l'orientation est très marquée et qui exercent un nombre limité d'activités par rapport à des acteurs dont la stratégie est très et peut-être trop diversifiée et qui apparaissent plus hétérogènes et dont, par conséquent, les résultats sont plus difficiles à anticiper. Il y a manifestement une prime à la simplicité et à la prévisibilité des résultats.

Les « price to book value » traduisent la vision que les marchés ont du potentiel de création de valeur par rapport à la valeur comptable des actifs, c'est-à-dire l'écart entre la valeur estimée par le marché et ce que l'entreprise ou la banque a payé pour se procurer ces actifs.

Cet indicateur a été calculé sur la période 2000-2009 pour chacune des trois grandes activités précédemment définies à savoir : banque de financement ou banque d'intermédiation, banque de marché et gestion pour compte de tiers.

Chaque groupe bancaire a en outre été rattaché à l'un ou l'autre des modèles en distinguant les modèles « purs » centrés sur une seule activité des modèles « hybrides » avec 2 activités ou plus.

On parvient ensuite à une typologie des modèles telle que présentée ci-dessous. Les banques fran-

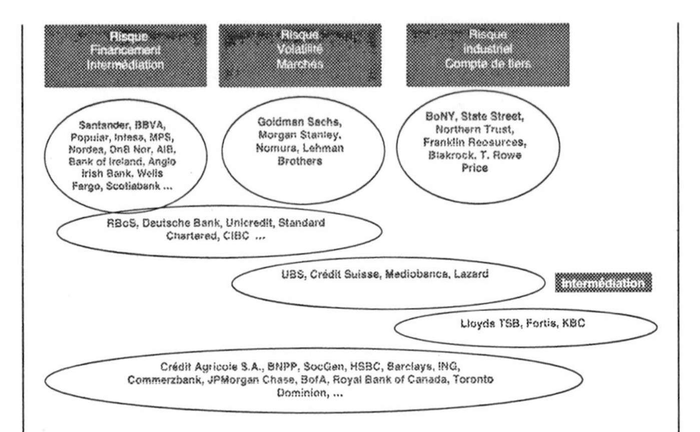

çaises sont particulièrement représentatives du modèle dit de banque universelle, les banques des autres pays paraissant plus typées. Cette situation s'explique facilement par les historiques des systèmes bancaires et le poids des marchés dans le financement de l'économie.

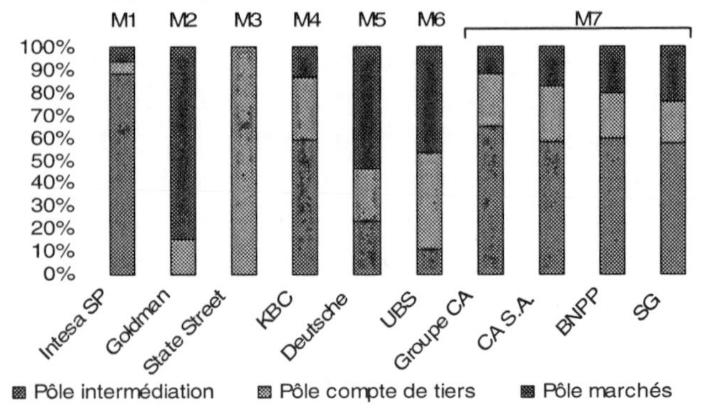

L'indicateur de référence est le niveau de valorisation des banques universelles qui servent ainsi d'étalon de la mesure de la performance des différents modèles.

Le modèle de marché pur est moins valorisé que ce que l'on pourrait spontanément imaginer à la lumière des commentaires d'aujourd'hui. Il figure parmi les plus fortes valorisations en 2001 et 2002, reste à un niveau modéré de l'ordre de 110/120 sur la période 2003-2007 pour connaître une remontée brutale en 2008 et une chute tout aussi logique en 2009.

Le modèle le plus performant est celui qui associe marchés et compte de tiers. Après une baisse compréhensible après 2001, un mouvement de récupération se développe à partir de 2003, puis une progression spectaculaire sur 2006-2008. C'est le modèle qui semble le mieux traverser la crise. Une explication principale à cela : c'est un modèle très adaptable, réactif, avec des acteurs à l'affût des changements de tendance des marchés.

Le modèle « intermédiation » a une bonne trajectoire de valorisation jusqu'en 2005, sa performance est moindre ensuite, mais constamment supérieure à celle de la banque universelle.

Le modèle « intermédiation + marché » performe pendant la crise, mais il est loin d'être le plus performant en période normale.

Le modèle « intermédiation » + compte de tiers » a une bonne efficacité, excepté en 2009, ce qui est logique.

L'analyse de ces différents modèles par sous-période complète l'approche descriptive ci-dessus.

Price to book (par sous-période)

Modèle universel = 100	Inter-médiat.	Marchés	Compte de tiers	Inter-médiat./ Compte de tiers	Inter-médiat./ Marchés	Marchés/ Compte de tiers	Universel
P/BV juin 1999-juin 2009	120 3	116 3	206 1	129 2	109 4	119 3	100 5
P/BV janvier 2000-mars 2003	116 4	130 3	221 1	141 2	104 5	113 4	100 6
P/BV avril 2003-juin 2007	122 2	107 4	184 1	111 4	108 4	115 3	100 5
P/BV juillet 2007-juin 2009	114 3	103 5	233 1	119 3	121 4	147 2	100 5
Score	12	15	4	11	17	12	21

Source : Direction des Études Économiques Crédit agricole S.A.

Le modèle le plus performant sur l'ensemble de la période est « le compte de tiers ». C'est l'âge d'or des gestionnaires d'actifs. Même si ceux-ci sont aujourd'hui dans une posture plus difficile en raison de la situation des marchés et du comportement des épargnants, une reprise est à prévoir, après une période de consolidation.

Ce même modèle résiste bien en période de crise. Le deuxième modèle, dans l'ordre, est la combinaison « intermédiation + compte de tiers ». Il est à la fois performant et résistant. C'est, pour un banquier européen, largement influencé par la pratique de l'intermédiation, l'enseignement le plus intéressant de cette recherche.

Le modèle « marché + compte de tiers », celui des grandes banques d'investissement anglo-saxonnes, est performant entre juillet 2007 et juin 2009. Hors ces dates, il est moins bien valorisé que le modèle d'intermédiation plus sûr, plus stable et dont les résultats peuvent être plus facilement anticipés par le marché.

Au total, les modèles simples sont mieux valorisés par les marchés. Cela se comprend, les gérants institutionnels préfèrent faire eux-mêmes leurs dosages entre les différentes activités suivant la conjoncture plutôt que de se les voir imposer par la banque.

La préférence pour ce que l'on appelle les « pure players », c'est-à-dire les acteurs très spécialisés, est bien connue.

Le deuxième enseignement plus nouveau et intéressant pour ceux qui sont en charge de concevoir ou de décider d'une stratégie, est que les modèles mixtes avec deux activités ne sont ni survalorisés ni dévalorisés. Cela veut dire qu'avec un modèle avec 2 activités, la diversification n'est pas pénalisée en termes de valorisation et donc que plus de sécurité n'implique pas de pénalisation supplémentaire. Ceci est particulièrement important pour des investisseurs long terme comme les fonds de retraite, les assureurs qui souhaitent la sécurité, la performance sur longue période mais craignent toujours de voir leur portefeuille déprécié à court terme.

Plus le mark to market prendra du poids dans l'évaluation des actifs, notamment dans les entreprises financières, plus cet argument et donc ce modèle à 2 activités prendra de la valeur.

Le modèle complet avec 3 activités est sensiblement déprécié si on le compare à chacune de ses composantes. Clairement, les marchés n'achètent pas ce modèle. Cette moindre valorisation peut s'expliquer par la complexité d'intégration et de pilotage, et la difficulté à dégager des synergies entre les lignes métiers. Ajoutons à cela que les groupes concernés sont avant tout centrés sur l'intermédiation et ont des positions de challengers dans les métiers de marchés ou de compte de tiers, domaine dans lequel la taille est un facteur reconnu d'efficacité.

À ce stade de l'analyse et si l'on revient à une appréciation banque par banque, on peut avancer l'idée que le modèle de banque universelle tel qu'il a été défini et mis en œuvre par les groupes français pourrait être fragilisé à l'avenir. Des choix plus tranchés en matière d'options stratégiques seront sans doute nécessaires. Ces choix devront en outre être cohérents avec le mouvement de concentration auquel on peut s'attendre en sortie de crise.

Conclusion

À bien des égards, une crise s'apparente à un test de résistance. Celle de 2007-2008-2009 est à la fois forte et complexe, à l'image du monde d'aujourd'hui.

Le moment est donc venu de prendre du recul, de mieux comprendre ce qui s'est passé. Et surtout d'en tirer les conséquences. Les bagarres diplomatiques qui se déroulent autour du G20 – le jeu info-intox qui leur est associé – témoignent de façon indirecte de l'ampleur des enjeux. Il ne s'agit ni plus ni moins que de redessiner le système financier ! Chaque pays va tenter de défendre son système car, à la clé, c'est le développement de son industrie bancaire nationale qui se décide. Avec, bien sûr, un fort impact à terme au niveau de l'emploi du secteur tertiaire.

Les modèles économiques des banques vont vraisemblablement devoir être redéfinis. Il faudra se poser la question de savoir quels métiers on développe, mais aussi quels métiers on arrête. Bien sûr, la banque de détail, celle qui nous est la plus familière, restera le pivot. Mais tout autour, cela va profondément changer.

Cela suppose la bonne volonté, la coopération de tous : pouvoirs publics, banques centrales, salariés des banques, clients, parce que l'on va s'engager dans des voies moins connues, avec plus d'incertitude et donc plus de volatilité dans les marchés.

Pour que cette dynamique se crée, il faut que la banque, son rôle, ses apports, ses contraintes soient mieux compris.

Si tel est le cas au terme de la lecture de ce livre, l'objectif sera atteint.

Petit lexique

Bâle II

Bâle II désigne un nouvel accord trouvé par le Comité de Bâle concernant le dispositif prudentiel imposé aux banques. Ce dispositif cherche à bien appréhender les risques, notamment le risque de crédit (risque que l'emprunteur ne rembourse pas ses dettes) et les exigences de fonds propres (la quantité de fonds propres minimum par rapport à celle des prêts des banques). Bâle II remplace Bâle I, qui avait en 1988 fixé d'autres règles prudentielles. À cette occasion, le ratio « Cooke » est remplacé par le ratio « McDonough » (voir ces termes dans le lexique).

Comité de Bâle

Le Comité de Bâle sur le contrôle bancaire (*Basel Committee on Banking Supervision*, BCBS) est un forum où sont traités, tous les trimestres, les sujets relatifs à la supervision bancaire. Il est hébergé par la *Banque des règlements internationaux* (BRI) à Bâle.

Le comité se donne pour mission de renforcer la sécurité et la fiabilité du système financier, d'établir des standards minimaux en matière de contrôle prudentiel, de diffuser et de promouvoir de meilleures pratiques bancaires et de surveillance, et enfin de promouvoir la coopération internationale en matière de contrôle prudentiel.

C'est aussi un lieu d'échanges informels sur les questions de réglementation, de pratiques de surveillance et plus généralement sur toute l'actualité financière.

Fair-value

« Juste valeur ». Méthode de comptabilité d'un actif qui consiste à l'évaluer au prix actuel du marché et non à son coût historique d'acquisition.

Monolines

Compagnies d'assurances de droit américain spécialisées dans la garantie des produits structurés.

IASB

International Accounting Standards Board, ou Bureau des standards comptables internationaux.

C'est l'organisme qui édicte les règles comptables internationales.

Ratio Cooke

Ce ratio tient ce nom de Peter Cooke, un directeur de la Banque d'Angleterre qui avait été un des premiers à proposer la création du Comité de Bâle et fut son premier président.

Ce ratio fixé dans le cadre de « Bâle I » fixe la limite de l'encours pondéré des prêts accordés par un établissement financier en fonction des capitaux propres de la banque. Il s'agit d'obliger les banques à garder un volant de liquidité afin de faire face aux impondérables (retournement de la conjoncture et augmentation des impayés de la part de ménages moins solvables, panique bancaire provoquant des retraits soudains aux guichets de la banque, etc.).

On lui a vite reproché de ne pas prendre en compte dans son évaluation le risque plus ou moins élevé de défaut de remboursement selon les types de débiteurs. C'est pourquoi on lui substitue désormais le ratio McDonough.

Ratio McDonough

Ratio de solvabilité qui doit son nom au président du Comité de Bâle William J. McDonough.

Ce ratio vient remplacer le ratio Cooke et améliorer ainsi les réglementations issues des accords de Bâle. Il est lié à la définition des engagements de crédit. La principale variable prise en compte était le montant du crédit distribué. Mais il prend aussi en compte la variable importante de la qualité de l'emprunteur, qui détermine des différences fondamentales dans le risque d'un portefeuille de crédits. Pour évaluer ce risque, on utilise une notation financière appelée « IRB » pour *Internal Rating Based.*

Risque de contrepartie

Risque que, dans un contrat financier ou dans le cadre d'un instrument financier, le débiteur se refuse à honorer tout ou partie de son engagement ou soit dans l'impossibilité de le faire.

SICAV

Les *SICAV* (Sociétés d'Investissement à Capital Variable) sont également appelées *FCP* (Fonds Communs de Placement). Elles fournissent aux investisseurs un produit de placement soumis à des variations aussi limitées que possible, afin de leur assurer un placement à revenu fixe.

Stress Test

Le stress test est une méthode qui vise à simuler les conditions les plus extrêmement défavorables ou contraignantes que peut subir une structure afin d'en étudier les conséquences (idéalement, d'en vérifier la résistance). Pour un téléphérique par exemple, on remplira les bennes de poids allant bien au-delà de la limite maximale pendant plusieurs heures.

Pour une banque, on mélangera des dévaluations, des chutes de cours, des défauts de créances, puis on étudiera l'impact sur les capitaux propres de chacune des banques. Si une banque résiste à ce traitement (purement théorique heureusement !), c'est qu'elle est parée pour faire face à une crise.

Value at risk

La *value at risk* (VAR) représente la perte potentielle maximale d'un investisseur sur la valeur d'un actif compte tenu d'un horizon de détention et d'un intervalle de confiance donnés. Plus le risque perçu est grand, plus la perte potentielle grandit. La VAR est en d'autres termes la valeur minimum théorique d'un actif.

Pour aller plus loin

Michel Aglietta, *La crise – Pourquoi en est-on arrivé là ? Comment en sortir ?* Michalon Éditeur, Paris, 2009.

JP. Betbeze & G. Pauget, *Les 100 mots de la banque*, Que sais-je ?, PUF, 2007.

Paul Jorion, *L'implosion – la finance contre l'économie. Ce que révèle et annonce la crise des subprimes*, Fayard, Paris, 2008.

Laure Klein, *La crise des subprimes – Origines de l'excès de risque et mécanismes de propagation*, La revue Banque Éditeur, Paris, 2009.

Revue de Stabilité financière, Banque de France, Février 2008 (sur la liquidité).

Revue de Stabilité financière, Banque de France, Septembre 2009 (sur la régulation)

Pour l'éditeur, le principe est d'utiliser des papiers composés de fibres naturelles, renouvelables, recyclables et fabriquées à partir de bois issus de forêts qui adoptent un système d'aménagement durable.

En outre, l'éditeur attend de ses fournisseurs de papier qu'ils s'inscrivent dans une démarche de certification environnementale reconnue.

Cet ouvrage a été imprimé en France
par CPI Bussière
à Saint-Amand-Montrond (Cher)
pour le compte des Éditions Lattès
en octobre 2009

Cet ouvrage a été composé par Facompo

N° d'édition : 01. – N° d'impression : 092957/4.
Dépôt légal : novembre 2009.